무언의 날들

무언의 날들

발 행 | 2025년 2월 24일
저 자 | 지라장
펴낸이 | 한건희
펴낸곳 | 주식회사 부크크
출판사등록 | 2014.07.15.(제2014-16호)
주 소 | 서울특별시 금천구 가산디지털1로 119 SK트윈타워 A동 305호
전 화 | 1670-8316
이메일 | info@bookk.co.kr

ISBN | 979-11-419-9157-9

www.bookk.co.kr

무언의 날들

지라장 지음

그날은 유난히 손끝이 시리던 날이었다.

난 양손을 마주잡고 공항 창문 밖으로 펼쳐진 활주로를 바라보았다. 그 활주로는 곧 나를 완전히 새로운 세계에 데려다줄 것이었다.

난 주머니 속에서 반으로 접혀있던 표를 꺼냈다.

16;20 Australia

그리고 공항 창문 아래에 있는 의자에 앉아 휴대폰을 꺼내들었다. 습관적으로 킨 인스타그램에는 어떤 사진이 올라와 있었다. 사진 속에는 어떤 사람이 있었고, 그 사람은 넓은 초원을 바라보며 미소를 짓고 있었다. 난 사진을 확대해 보았다. 그 사람의 손목에는 조그마한 무지개 색 팔찌가 걸려있었다. 팔찌는 초원 너머의 햇빛과 함께 오색으로 빛나고 있었다. 난 살며시 미소를 지었다.

그리고 떠올렸다. 새로운 삶의 시작이었던 내 중학교 2학년을.

나는 만나러 간다. 가장 소중했던 내 친구를.

목차

무언의 날들

- 모든 것의 시작
- 내 삶은 가작

- 지워지지 않는 것들
- 내뱉지 못했던 말들

- 첫사랑은 거짓말이다
- 되돌아오다

- 내가 사랑했던 형에게
- 사랑하는 모두들에게

작가의 말

모든 것의 시작

삑삑대는 알람소리에 잠에서 깨어났다. 커튼 사이로 스며들어온 햇살이 방 한구석을 비추고 있었다.

시간은 오전 7시, 이른 아침이었다. 태양이 일어나 기지개를 필 시간이었다. 방 안은 가느다란 햇빛이 비치는 곳을 제외하곤 창문에 걸린 짙은 남색 커튼 때문에 어두웠다. 가느다란 물줄기처럼 흘러들어오는 햇빛을 바라보며 멍하니 누워 있었다.

잠시 뒤, 쿵쿵대는 걸음소리가 방으로 가까워져 왔다. 그리고 엄마가 방문을 열었다.

"유은아 학교 갈 시간이야 일어나!"

난 깨어있다는 것을 알리기 위해 이불 밖으로 손을 흔들었다. 엄마는 쾅 소리를 내며 문을 닫고 나갔고, 방에는 다시 정적이 찾아왔다. 엄마가 나간 자리에는 고소한 아침밥 냄새가 흐르고 있었다.

난 침대에서 일어나 기지개를 켰다. 오래 운동을 하

지 않은 탓에 온 몸이 찌뿌듯했다. 침대에 앉아 몇 가지 스트레칭을 한 뒤 바닥에 발을 디뎠다. 그리고 커튼을 걷었다. 햇빛이 폭포처럼 방 안으로 쏟아져 내렸다.

나는 장유은이다. 15살이고, 오늘부터 중학교 2학년이 된다.

오늘은 바로 3월 2일, 새 학기를 맞이하는 날이다. 모든 학생들에게 특별한 날이겠지만 나에게는 더욱더 특별했다. 왜냐하면 새로운 학교로 전학을 가기 때문이었다.

침대 밖으로 걸어 나오자 아직 가시지 않은 서늘한 겨울의 공기가 날 껴안았다. 난 다시 침대로 쓰러졌다.

사실 좀 걱정이 많이 됐다. 새 학교에서 제대로 적응하지 못할 것 같았다. 새로운 애들과 문제없이 잘 지낼 수 없을 것 같았다. 머릿속으로 수십 개의 좋지 않은 상황들이 떠올랐다. 난 이불을 머리끝까지 덮고 눈을 감았다.

고맙게도 내 머리는 그런 걱정들 속에서 커다란 희망 하나를 싹틔워 주었다. 머릿속에 어떤 영화의 장면이 떠올랐다. 조용하고 친구도 없던 아이가 전학을 가고 나서 밝아지고 친구도 많아지는 이야기였다.

그 주인공이 내가 된다는 희망을 가지기에는 아직 일렀지만, 그래도 이전보다 더 나은 삶을 살게 될 거라는 기대 정도는 할 수 있었다.

난 자리를 벅차고 일어났다. 그리고 화장실로 걸어갔다

다 씻은 뒤, 본격적인 등교 준비를 하기 위해 화장대 앞에 앉았다. 먼저 헝클어져 있는 머리를 빗었다. 그리고 고데기로 머리를 정리했다.

그 다음 본격적으로 화장을 시작했다. 난 예전부터 화장을 잘 한다는 소리를 종종 들어왔다. 다들 빈말로 한 소리겠지만 어쨌든 오늘은 최대한 그 실력을 발휘해야 했다. 쿠션을 바르고, 얼마 전에 산 섀도를 발랐다. 그리고 여러 가지 아이라인들을 정성스럽게 그렸다. 그리고 마지막으로 가장 좋아하는 틴트를 발랐다.

화장은 성공적으로 마무리되었다. 난 화장대에서 일어나 옷장으로 향했다.

옷장 가운데에는 얼마 전에 받아온 새 교복이 걸려 있었다. 기분이 묘했다. 이제 정말 새 학교를 간다는 것이 실감났다.

빳빳한 교복 셔츠와 치마를 입은 뒤 교복조끼를 걸쳤다. 옷에서는 새 옷 특유의 화학물질 냄새가 미묘하게 나고 있었다. 준비를 다 마친 뒤 방 안의 전신거울을 바라보았다. 그 안에 비친 나는 영락없는 새 학기의 여학생이었다.

"우리 딸 완전 미소녀 같네."

문 앞에서 날 보고 있던 엄마가 환하게 웃으며 말했다. 난 애써 입꼬리를 당겨 미소를 지었다. 불쾌한 응어리가 마음 구석에서 꾸물대는 것을 참아내야 했다.

아파트 밖으로 나가니 3월이 됐음에도 차가운 날씨가 날 막아섰다. 패딩 지퍼를 끝까지 잠가 올리고 학교로 가는 발걸음을 디뎠다. 새 학교는 우리 집에서 대략 15분 정도 떨어져 있다. 5분만 걸으면 도착했던 예전 학교에 비해서는 확실히 멀었다. 그래도 그쪽 길은 주변 풍경이 예뻤다. 그 사실만으로 조금 위안이 되었다.

아파트 후문 앞에는 가로로 쭉 뻗은 길이 있다. 그 길의 왼쪽으로 가면 새로운 학교로 갈 수 있다. 길은 차선 두 개 정도의 크기인데, 주위로 커다란 참나무들이 줄을 지어 서 있다. 나무들이 크기도 하고 잎들이 울창해서 그 길을 걷다보면 도심 속인데도 숲 속에 들어온 것 같은 느낌을 받을 수 있었다.

길을 따라 한참 걸어가면 도로를 가로지르는 육교가 나온다. 그 육교의 난간에는 꽃이 화분에 심어져 피어 있다. 그래서 날씨가 따뜻할 때에는 지나갈 때마다 은은한 꽃향기를 느낄 수 있었다. 육교를 건넌 뒤, 다시 나무들의 길을 따라 걷다보면 횡단보도 하나를 마주하게 되고, 그걸 건너면 드디어 나의 새 학교가 나온다. 평소에도 잘 알던 길이어서 가는 것에 특별한 어려움이 있을 것 같진 않았다.

후문을 나와 길 안으로 걸어들어 갔다. 나무들은 아직 이파리가 생기지 않아 민둥민둥했다. 난 옷매무새를 가다듬고 뒤를 돌아 반대편 길을 바라보았다. 나무로 이루어진 길 너머로 회색빛 건물들과 차도가 보였다. 그리고 그 너머로 개천을 지나가는 다리가 보였다. 가슴 속에서 알 수 없는 무언가가 흔들렸다.

계속 바라보고 있다간 기분이 안 좋아질 것 같아서 재빨리 뒤를 돌아 학교로 걸어가기 시작했다. 차갑지만 사이에 봄의 온기가 끼어있는 바람이 내 얼굴을 연신 스치고 지나갔다.

이제 저 멀리 학교가 보이기 시작했다. 어느새 내 주위에는 나와 같은 모양의 교복을 입은 사람들이 가득해 있었다. 다들 새로운 얼굴이었다. 불안인지 기대인지 모를 심장이 두근두근 뛰었다.

난 천천히 걸으면서 주위의 사람들을 둘러보았다. 새 학기가 마냥 신나 보이는 사람도 있었고, 이 순간이 익숙한 듯 무덤덤하게 걸어가는 사람들도 있었다.

 어느새 학교 정문 앞에 도착해 있었다. 난 목 뒤로 흐르는 땀 한 방울을 닦으며 위를 올려다보았다.

'민중중학교'

 정문 가장 높은 곳에 달린 학교 마크가 나와 눈을 마주하며 빛나고 있었다. 나는 숨을 '후'하고 내뱉은 뒤 정문 안으로 걸어 들어갔다.

 이제 학교의 전반적인 모습을 볼 수 있었다. 정문 오른편에는 체육관 같아 보이는 건물이 있었고, 왼편에는 빨간 벽돌로 만들어진 학교 본관이 있었다. 본관의 아래쪽으론 작은 화단들이 늘어져 있었고, 그 안에는 아무것도 피지 않은 흙더미밖에 없었다.

 학교 안은 학생들로 가득 차 있었다. 중앙 현관 바로 앞에는 수많은 신발장들이 있었다. 그리고 그 뒤에는 계단이 있었다. 계단 양옆으로 긴 복도가 늘어져 있었다.

 난 사전에 받은 학교 안내도와 계단을 번갈아 보았다. 교실을 찾기도 전에 신발부터 넣어야 했다. 근데 도저히 내 신발을 어디에 놔둬야 할지 몰랐다.

 내 뒤로 학생들 무리가 웃으면서 들어왔다. 그들은 어리버리한 나를 보고 비웃는 것 같았다. 주위의 사람들이 모두 은근슬쩍 나를 보고 있는 것 같은 기분이

들었다. 난 그 느낌을 애써 무시한 채로 신발장 주위를 열심히 둘러보았다. 내 이름이 써져 있는 신발장을 다행히도 금방 찾을 수 있었다. 난 실내화로 갈아 신고 서둘러 2학년 교실이 있는 2층으로 올라갔다.

복도에는 차가운 기운이 가득했다. 주위에선 사람들의 목소리가 자주 들려왔지만 사람의 온기가 느껴지지는 않았다.

난 휴대폰으로 배정받은 반을 확인해 보았다. 2학년 3반이었다. 전에 다니던 학교와 마찬가지로 여기도 3반까지밖에 없는 작은 학교였다.

반은 복도 맨 끝에 있었다. 난 멈추는 법을 잊은 채로 계속 쿵쾅대는 심장을 애써 진정시키려 노력하면서 반 안으로 발을 디뎠다.

완전히 새로운 사람들밖에 없었다. 그 사람들은 한순간에 모두 나를 바라보았다. 몸이 굳어버리는 듯 했다. 그렇지만 다행히도 그들은 나를 향하고 있던 시선을 곧바로 돌렸고 각자 하던 일들에게 돌아갔다. 난 손끝을 꽉 잡았다. 저 사람들 사이에서 적응하는 게 마냥 쉽지만은 않을 것 같았다.

교실 안에는 책상이 두 개씩 붙어 나란히 줄을 서있었다. 복도 방향에는 남자애들이 앉아 있었고, 창가 방향에는 여자애들이 앉아 있었다. 각 자리마다 지정

된 사람의 이름표가 붙어 있었다. 내 이름표는 맨 뒷줄의 창가 옆 책상에 붙어 있었다. 역시 내 자리는 여자애들이 앉는 창가 쪽이었다. 기분은 다시 바닥으로 가라앉았다. 난 한숨을 푹 쉬며 자리에 앉았다.

난 항상 여자애들이 입는 교복을 입고 여자애들이 앉는 자리에 앉아야 했다. 다른 사람들은 그렇게 하는 것이 전혀 아무렇지 않아 보였다. 하지만 나는 달랐다.

사실 나에게는 비밀이 있다.

그것은 바로 내가 남자도 여자도 아니라는 것이다.

처음부터 이랬던 건 아니었다. 나 역시도 태어날 때부터 내게 부여된 여자라는 이름을 잘 가지고 살았던 적이 있었다.

하지만 어느 일을 기점으로 내게 새로운 세상이 열렸다. 시작은 아마 초등학교 6학년 때였을 것이다.

그 시절의 나와 가장 친했던 박혜은이라는 애가 있었다. 그리고 그 애는 어느 날 나에게 자기가 여자를 좋아하는 것 같다고, 그러니까 레즈비언[1] 이라고 커밍아웃[2]을 했다. 난 그날 처음으로 성소수자라는 것

---

1) 여성 동성애자. 여성에게 성적 끌림이나 연애 감정을 느끼는 여성을 주로 의미한다.

을 알게 되었다.

그리고 혜은이는 그 뒤로도 내게 가끔 성소수자에 대한 이야기를 꺼내었다. 그렇게 난 혜은이를 통해 남자와 여자끼리만 좋아할 수 있는 게 아니고, 남자와 여자 말고 다른 성별이 될 수도 있다는 것을 알게 되었다.

그리고 혜은이는 내게 자기가 좋아하는 여자애에 대해 자주 이야기하였다. 나 말곤 이야기할 수 있는 사람이 없다고 말하였다. 그럴 수밖에 없을 거다.

혜은이도 털어놓을 곳이 필요했던 거다. 남들이 좋아하는 이성친구에 대해 이야기하는 것과 똑같이.

난 이야기를 듣는 것에만 그치지 않았다. 그리고 내 정체성은 과연 어떨지 생각해 보았다.

우선 어릴 때를 생각해 보았다. 난 부모님이 사 주시는 여자용 장난감만을 가지고 노는 게 싫었다. 드레스나 치마를 입는 것도 좋아하지 않았다. 그렇다고 해서 자동차나 로봇 같은 남자용 장난감을 좋아했던 것도 아니었다. 난 내가 여자이기 때문에 여자용 장난감을 가져야 하는 게 싫었다. 그리고 난 여자화장실을 갈 때마다 석연치 못한 괴리감을 느끼곤 했다. 마치 이 자리가 내게 맞지 않는 것 같았다.

---

2) 벽장에서 나오다 (coming out of the closet)의 줄임말로 타인에게 자신의 성정체성, 지향성을 밝히는 행위를 말한다.

혜은이에게 성소수자에 대한 이야기들 들으며 여러 가지 용어들도 배우게 되었다. 그리고 거기서 난 엄청난 것들을 발견해버리고 말았다.

젠더퀴어, 사회에서 지정시킨 성별과 자신이 생각하는 성별이 다른 사람.

논바이너리, 자신이 생각하는 성별이 남성도 여성도 아닌 사람.

그리고 **젠더 디스포리아**, 사회에서 지정시킨 성별이나 성 역할에 대한 불쾌감. 이것이 내가 여자로 불릴 때마다 느꼈던 괴리감이었을지도 모른다.

진귀한 보물을 찾아낸 것 마냥 기분이 새로웠고 미묘하게 흥분되었다. 위의 단어들이 내가 느꼈던 모든 불쾌감들을 설명해주는 것만 같았다. 그리고 이 모든 것들이 어느 한 부분의 '나'를 이루고 있다는 사실을 알아차렸다.

하지만 이 사실들은 아까 말했듯이 '비밀'이다.

다른 사람들에게 쉽게 말할 수 없는 것들에 비밀이라는 자물쇠를 달아놓는다. 그러니까, 난 내가 논바이너리라는 것을 사람들에게 말하지 않겠다는 것이다.

어느 날, 유튜브에서 성소수자 관련 영상을 하나 본 적이 있었다. 영상은 무난했지만 영상의 댓글은 그렇지 않았다. 그 수많은 글들은 내게 엄청난 충격을 주었다. 댓글창은 마치 날카롭고 또 불규칙적이게 갈린 가시밭길과도 같았다. 대부분의 댓글들은 성소수자를 부정하고, 입에 담지도 못할 정도로 과격한 언어를 쓰며 욕하고 있었다.

난 손톱을 잘근잘근 씹으며 그 안의 내용들을 하나하나 읽어냈다. 그때 내가 가장 크게 느꼈던 감정은 공포와 두려움이었다. 댓글을 쓴 수백 수천 명의 사람들은 멀쩡히 바깥에 돌아다니고 있었다. 길을 가다 마주칠 수도 있고, 그 사람들이 내 주변인일 수도 있었다. 그러니 나도 모르게 긴장할 수밖에 없었다. 만약 남들이 내 정체성을 알게 된다면 저 댓글 속의 사람들처럼 내게 욕을 하고, 떠나버릴 수도 있었으니.

반 안에는 어색한 공기가 흐르고 있었다. 주위의 사람들은 모두 새 친구를 만들기 위해 열심히 돌아다니고 있었다. 하지만 난 어찌할 줄 모르고 가만히 책상을 내려다보며 손가락만 만지작거렸다.

그때, 내 앞에 앉아있던 아이가 내 쪽을 돌아보았다. 그리고 날 향해 손을 흔들었다.

"왠지 처음 보는 거 같은데, 작년에 몇 반이었어? 아니면 혹시 전학?"

드디어 내게 친구가 만들어지나 싶었다.

"어. 아 나는 그 아니라 어 전학."

하지만 내 입에선 말이 제대로 나오지 않았다. 목구멍 안에서 말이 똬리를 틀고 어지럽게 꼬여 있었다.

그 아이는 내가 질문하기를 기다리는 것처럼 내 눈을 뚫어지게 보고 있었다. 하지만 내 눈앞은 핑핑 돌고 있었고 입은 그 안에 시멘트라도 부어놓은 것처럼 열리지 않았다. 내가 말없이 앉아있자 그 아이는 멋쩍은 듯이 머리를 넘기고는 다시 나를 등지어 돌아앉았다. 그리고 그 애는 방금 나한테 했던 것처럼 자기 앞에 앉아있는 아이한테 말을 걸더니 얼마 지나지 않아 같이 밖으로 나가버렸다.

바보 같은 나는 또 다가오는 사람을 놓쳐버렸다. 난 누가 내게 말을 걸어 주어도 말을 이어 나가는 방법을 몰랐다. 그러니 사람들이 묻는 말에 제대로 대답하지도 못하고, 다가오는 사람들을 놓쳐버리는 일들이 다분했다.

어색하고 불편한 공기는 두꺼운 마스크처럼 내 숨통을 조여 왔다. 이대로 가만히 앉아만 있다가는 이 공기에 눌려 질식해버릴 것 같았다.

답답한 공기도 쫓아버릴 겸 작게 기지개를 폈다. 그러면서 반 주변을 둘러보았다. 교실 벽면에는 여러 책들과 잡동사니가 들어있는 책장이 있었다. 교실의 뒤쪽은 직사각형의 사물함들이 차지하고 있었다. 가장 구석진 사물함 위에는 갈색으로 힘없이 시든 장미 한 송이가 유리병 안에서 고개를 숙이고 있었다.

그때, 드르륵 소리와 함께 교실 문이 열렸다. 그리고 키 큰 남자애 하나가 그 안으로 들어왔다. 그 애는 지퍼를 끝까지 올린 두꺼운 패딩을 교복 위에다 입고 있었다. 큰 키와는 다르게 작은 얼굴 옆에는 검고 조그마한 귀걸이가 걸려 있었다. 다른 애들과는 분위기가 조금 다른 것 같았다.

그 애는 반으로 성큼성큼 걸어 들어오더니 큰 소리로 모두를 향해 인사했다.

"얘들아 안녕!"

다른 아이들의 반응도 확연히 달랐다. 내가 들어왔을 땐 시큰둥하게 보이던 애들은 그 애가 인사를 건네자 밝게 인사하며 손을 흔들어 주었다. 그 애의 어깨에 팔을 걸며 친근하게 말을 거는 아이도 있었다. 인기가 많은 것 같아 보였다.

그 애는 자기 옆의 아이와 가벼운 인사를 주고받은 뒤 내 쪽을 향해 다가왔다. 별 거 아닌데도 이상하게 긴장이 되었다. 그 애는 내 옆자리로 다가와 앉았다. 난 침을 꿀꺽 삼켰다. 그리고 곁눈질로 그 애가 앉아 있는 책상의 이름표를 보았다.

'이성빈'

성빈이인 것 같은 그 애는 내 쪽을 향해 눈을 돌렸다. 그리고 내게 손을 흔들었다.

"안녕, 난 이성빈이라고 해. 너 이름은 뭐야?"

말을 걸 거라고 예상하지 못했다. 난 조금 놀란 맘을 진정시키고는 최대한 자연스럽게 말하려 노력하면서 대답했다.

"내 이름은 장유은이야."

"그래? 짝꿍이니까 잘 지내보자. 아 혹시 올해 전학 왔어? 작년에 본 적 없는 거 같네."

난 가만히 고개를 끄덕였다. 성빈이도 나를 따라 고개를 끄덕였다. 그리고 내게 미소를 지었다.

겉모습으로 사람을 판단할 수 없다는 사실을 깨달았다. 성빈이는 키도 컸고 날카로운 인상을 가지고 있었다. 겉모습은 마치 사나운 고양이 같았다. 하지만 그 성격은 고양이의 털 같이 부드러웠다.

저 애랑은 올 한 해 동안 잘 지낼 수 있으리라는 희망이 꼬리를 흔들었다.

9시가 되자 선생님이 반으로 들어오셨다. 나긋나긋한 목소리를 가지고 계신 선생님은 간단한 자기소개를 하고는 교탁에서 내려오셨다. 그리고 우리가 있는 책상 쪽으로 다가오셨다. 선생님은 우리 모두에게 간단한 자기소개를 시켰다.

맨 앞줄부터 자기소개가 시작되었다. 그리고 얼마 뒤 내 차례가 찾아왔다. 난 자리에서 일어나 발밑을 내려다보았다. 모든 아이들의 시선이 나를 향하고 있었다.

"안녕, 장유은이야."

내 귀에조차 제대로 들리지 않을 정도로 작고 기어들어가는 목소리였다. 맨 앞줄의 아이는 무슨 소리인지 모르겠다는 듯이 눈썹을 찌푸렸다.

얼굴이 순식간에 빨갛게 부어오르는 것 같았다. 이런 별거 아닌 일도 잘 못하는 내가 참 쪽팔렸다.

난 재빨리 자리로 돌아갔다. 그리고 책상을 바라보며 고개를 푹 숙였다. 이번 연도도 망했다.

자기소개가 다 끝난 뒤, 선생님은 1년 동안 할 것들에 대해 설명해주셨다. 하지만 내 머릿속에 들어오는 건 하나도 없었다. 그 안은 앞으로 마주하게 될 안 좋은 일들로 가득 차 있었다. 그런 매캐한 안개들이 머릿속에 무수했으니 선생님이 말하는 소리가 들릴 리 없었다.

그런데 자꾸 옆에서 시선이 느껴졌다. 성빈이가 날 보고 있는 것 같았다. 슬쩍 돌아보다가 눈이라도 마주치면 굉장히 곤란해질 것이었다. 날 보든 말든 관심가지지 않는 것이 최선이었다.

그런데 성빈이는 쳐다보는 것에 그치지 않고 이제는 날 콕콕 찌르기 시작했다. 쳐다봄에는 무슨 목적이 있

었던 것이다. 난 황급히 성빈이를 돌아보았다. 성빈이
는 책상에 엎드린 채로 날 보고 있었다. 날 쿡쿡 찌르
던 건 성빈이가 들고 있는 펜이었다. 나와 눈이 마주
치자 성빈이가 작은 목소리로 말했다.
"전학 왔지? 학교 구조는 알고 있어?"
 알 리가, 반을 찾아오는 것도 꽤나 오래 걸렸다. 난
모른다고 대답했고 성빈이는 이따 점심시간에 학교를
소개해주겠다고 말했다.

 1교시가 끝나자마자 사람들은 기다렸다는 듯이 책상
밖으로 튀어 나갔다. 하지만 친구도 없고 할 것도 없
는 나는 멍하니 자리에 앉아 있을 수밖에 없었다. 사
람들은 칠판 근처에 무리를 지어서 즐겁게 수다를 떨
고 있었다. 저기 껴서 같이 놀면 분명 재미있을 것이
었다. 저기 있는 애들에 껴서 말이라도 걸어보고 싶었
지만 내 엉덩이는 의자에서 떨어질 생각을 하지 않았
다. 결국 난 아무것도 하지 않고 자리에 가만히 앉아
서 칠판만을 보고 있을 수밖에 없었다.
 무료함과 그에 따른 불안감이 점점 커져갈 때, 어떤
아이와 눈이 마주쳤다. 그 아이는 나와 눈이 마주치자
마자 내 쪽으로 빠르게 걸어왔다.
 내가 너무 부담스럽게 쳐다보았던 건가, 등교 첫날부
터 찍혀 버리다니 정말 망했다. 나는 마른침을 삼키면

서 그 애가 다가오는 것을 보았다.

"유은아! 유은이 맞지?"

나를 아는 사람이 여기 있을 리 없었다. 난 눈을 찡그리면서 다가오는 그 애의 얼굴을 자세히 보았다.

분명 이 학교에는 내가 아는 사람이 없을 텐데 저 애에게선 이상하게 굉장히 익숙한 느낌이 들었다.

그 애가 내 앞에 도착하자 난 드디어 그 애가 누구인지 알아차릴 수 있었다. 둥근 얼굴과 여우처럼 뾰족한 눈매, 그리고 아침의 새소리같이 명랑한 목소리. 바로 혜은이었다.

키가 나보다 작았지만 어느새 훌쩍 커 있었고, 초등학교 때 까지만 해도 쓰고 있었던 안경을 벗은 채로 귀 밑으로 내려왔던 왔던 단발머리를 어깨까지 기르고 있었다. 이렇게 많이 변해 있으니 알아보지 못한 것도 당연하다.

운명이란 정말 기묘하다. 끊어진 것 같아도 그럴 운명이 아니라면 돌고 돌아 결국 다시 만나게 된다.

혜은이는 내 책상 옆에 쪼그리고 앉았다. 가까이서 보니 몸은 좀 변했어도 둥근 얼굴에 여우같은 눈은 예전 초등학교 시절 그대로였다.

혜은이가 초등학교 전학을 간 뒤 2년 만에 보는 거였지만, 우린 어제까지 만났던 사이인 것처럼 전혀 어색함이 없었다. 마음을 한시름 놓을 수 있었다. 이제 혼자 다닐 걱정은 하지 않아도 되었다. 우리는 그렇게 쉬는 시간 내내 초등학교 시절의 그리웠던 추억을 나누었다.

　추억의 힘은 그 무엇보다 강력하다는 것을 느낄 수 있었다. 짧지 않았던 세월의 공백을 단숨에 깊고 달콤한 향기로 채워주니 말이다.

　급식실이 있었던 예전 학교와는 다르게 이 학교는 급식차가 각 반으로 들어오는 구조였다. 친구를 찾고 자리를 잡는 노력을 할 필요 없이 각자의 자리에서 밥을 먹으니 정말 편했다.

　밥을 다 먹고 양치를 하고 반으로 들어오자 성빈이가 자기 자리에 앉아 날 기다리고 있었다. 나와 눈이 마주치자 성빈이는 손을 앞뒤로 저으면서 따라오라는 시늉을 했다.

　학교는 1층부터 4층까지 있었다. 작은 학교인 만큼 공간도 필요한 곳에만 오밀조밀하게 모여 있었다.

　그 중 특별히 기억에 남는 장소가 있었다. 그건 바로 동아리실과 수업교실이 모여 있는 4층에 있는 '밴드실'이었다. 회색빛의 방음부스로 이루어진 밴드실에는 커다란 앰프들과 기타, 베이스 등의 여러 악기들이 줄을 지어 놓여 있었다. 그 중 내 이목을 가장 끈 건 밴드실 가운데에 있던 드럼이었다. 새로 샀는지 깨끗한 하얀색으로 조명을 받아 빛나고 있었다.

성빈이는 학교 곳곳을 소개하면서 내게 계속 말을 걸어 주었다. 어느 동네에 살고, 취미는 무엇이고, 좋아하는 건 무엇인지 등등을 물었다.

성빈이가 이렇게 대화를 이끌어주니 대화를 이끌지 못하는 나로서는 고마웠다. 성빈이는 내가 대답할 때면 눈을 똑바로 바라보며 열정적으로 고개를 끄덕여 주었다.

사실 조금 부담스러운 감이 있긴 했다. 하지만 그와 동시에 나에게 관심을 가지고 있고 내가 하는 말에 집중하고 있다는 것을 느끼게 해 주었다. 이번에 또 다가오는 사람을 놓쳐서는 안 되니 나 역시도 성빈이의 말에 열정적으로 고개를 끄덕이고 최대한 성심성의껏 반응해 주었다.

왠지 성빈이랑은 친하게 지낼 수 있을 것 같은 느낌이 들었다. 학교생활이 망한 건 아닐지도 모르겠다.

1층부터 4층까지 소개받은 후, 우리는 함께 반이 있는 2층으로 내려가기 시작했다. 차가운 돌계단에는 발걸음을 따라 쿵쿵대는 심장소리가 울려 왔다. 그것은 새로 삶에 대할 기대일지 아니면 다가오는 무언가에 대한 설렘인지 정확히 알 수는 없었다.

성빈이에게 학교에서 일어났던 여러 재미있는 일화

들을 들으며 계단을 내려가고 있었다. 그리고 계단과 계단의 전환점에 도달했을 때, 우린 빠른 걸음으로 올라오던 누군가와 강하게 부딪히고 말았다. 내 어깨와 그 사람의 어깨가 부딪히면서 순간 중심을 잃고 말았다. 그리고 옆의 난간에 팔꿈치를 들이박았다. 난 팔꿈치를 감싸 안으며 나를 치고 지나간 그 사람을 째려보았다. 보통 이런 상황이면 먼저 사과를 할 법한데, 그 사람은 아무 말도 하지 않았다.

난 그 사람을 향해 고개를 돌렸다. 그 순간, 어떤 향이 내 코끝을 감쌌다. 그 향은 불쾌감을 느끼기도 전에 내 관심을 완전히 빼앗아버리고 말았다. 한순간에 내 코를 진하게 자극하였던 그 향은 시원하면서도 달달했고 굉장히 묵직하기도 했다.

방금 날 쳤던 그 사람은 계단 위에서 우리를 내려다보고 있었다. 그 사람은 귀까지 내려오는 웨이브 진 머리를 하고 있었고, 교복 위에 화려한 영문이 디자인되어있는 후드티를 입고 있었다. 귀와 목에는 은빛의 액세서리가 주렁주렁 매달려 있었다. 그 사람은 나를 흘깃 쳐다보고는 아무 일도 없었다는 듯이 계단을 올라 사라졌다.

어이가 없었다. 세상에는 참 이상한 사람이 많은가 보다. 난 코를 슥 닦으며 성빈이를 향해 고개를 돌렸다. 그 사람의 잔향이 코끝에 묘하게 남아 있었다. 그리고 난 성빈이에게 아까 지나간 사람을 아냐고 물어보았다.

그런데 성빈이가 조금 이상했다. 내 질문에 대답하지도 않고 혼이 빠진 사람처럼 그 사람이 사라진 방향만을 멍하니 바라보고 있었다. 난 성빈이의 어깨를 톡톡 쳤다. 성빈이는 그 사람이 사라진 방향을 계속 보며 대답했다.

"3학년의 정한성형. 한성이형이야."

교실에 도착하자 성빈이는 궁금한 게 있으면 언제든 물어보라고 한 뒤, 반 밖으로 뛰쳐나갔다.

◆

어떨 때는 필사적으로, 어떨 때는 가만히 앉아 흘러가는 하루를 보내다 보니 어느새 한 달이라는 시간이 지나 있었다. 맨몸이었던 나무들에게는 어느새 얇고 부드러운 연초록의 이파리들이 돋아나 있었다.

학교 가는 길에는 벚나무가 정말 많은데, 이 시기가 되면 분홍빛의 벚꽃들이 잔뜩 피어나곤 했다. 나무 위에도, 길바닥에도 만개해 있는 벚꽃들은 온 세상을 분홍빛으로 칠했다.

다행히 지난 한 달은 무사히 보낸 것 같았다. 많진 않았지만 적당한 수의 친구들이 생겼고, 누구하고 싸운 적도 없었다. 이제 이 학교로 등교하는 것이 완전히 자연스러워졌다. 하지만 역시나 가장 다행인 점은 친구가 생겼다는 것이었다.

개학날 혜은이를 만난 뒤로 나는 혜은이와 같이 다니기 시작했다. 그런 우리에게 윤서와 채민이라는 아이가 다가왔고, 그렇게 모인 우리 네 명은 하나의 무리가 되었다. 무리를 짓는 것이 이 세상을 사는 데에 가장 안전한 법이다. 인간이 무리를 지어 살게 진화된 것도 분명 그만한 이유가 있었을 것이다.

그리고 성빈이하고도 자주 대화하면서 지냈다. 물리적 거리가 가까우면 마음의 거리도 가까워지는 법인 것 같았다. 그리고 마치 운명 같게도 성빈이가 '플루토 프로젝트'라는 애니메이션을 좋아하고 있다는 사실을 알게 되었다. 그건 내가 초등학교 때부터 좋아하던 애니메이션이었다.

아마 우리가 짝꿍이 된 것에는 분명 무슨 이유가 있었을 것이다. 비슷한 사람끼리는 서로 끌린다는데, 감정적으로만 그런 것이 아니라 물리적으로도 그럴지 모른다.

겨울바람은 다 녹고, 남아있는 봄바람이 코를 간질이는 지금 이 시간, 나는 오늘도 학교를 간다.

여느 때와 같이 학교 앞 횡단보도에서 신호가 바뀌

기를 기다리고 있었다. 그때, 봄기운을 잔뜩 머금은 바람이 내 쪽으로 불어왔다. 바람과 함께 잔뜩 부풀어 오른 벚꽃들이 내게 날아왔다. 벚꽃 잎들이 얼굴과 머리에 잔뜩 붙어 버렸다. 꽃잎들을 연신 털어내는 손가락 사이로 연약한 단내가 났다.

횡단보도를 건너면서 주위를 살펴보니 서로의 손을 잡고 등교하는 커플들이 평소보다 많이 보이는 것 같았다. 만개한 벚꽃들 사이에 사랑이 숨어 있나보다. 손가락 사이에 묻어있는 꽃잎을 바라보았다. 사랑의 벚꽃은 이런 내게 찾아올 리 없었다. 조금 외롭다는 생각이 들었지만 어쩔 수 없는 일이었다.

신발장에 신발을 넣고 있었는데 누가 내 머리를 툭 쳤다.

"왜 머리에 꽃잎을 묻이고 다니냐."

성빈이가 날 내려다보고 있었다. 성빈이의 손에는 벚꽃 잎 한 개가 들려 있었다. 나와 눈이 마주치자 성빈이는 배시시 웃었다. 그리고 손을 뻗어 내 머리를 헝클었다. 난 질세라 성빈이의 머리로 손을 뻗었고, 그러자 성빈이는 더 크게 웃으면서 큰 키만큼 빠른 걸음으로 뒷걸음질 쳤다. 그리고 계단으로 재빠르게 달려가 사라졌다. 난 헝클어진 머리를 손으로 매만지며 성빈이가 사라진 쪽을 바라보고 있을 수밖에 없었다.

교실에 도착하니 성빈이가 내 쪽으로 다가왔다. 난 또 그럴까봐 머리를 뒤로 뺀 채로 성빈이를 보았다.

내 예상과는 다르게 성빈이는 장난을 치지 않았고, 그 대신 손가락을 뻗어 무언가를 가리켰다. 그건 예전부터 사물함 위에 놓여있던 시든 장미꽃이었다.

"저거 바꾸러 갈래?"

개학할 때부터 계속 방치되었던 것이었다. 먼지 쌓인 채로 볼품없이 고개를 숙이고 있는 것이 처량해 보이긴 했다. 성빈이는 학교 앞 화단에 꽃이 많이 피었으니 몰래 한 송이 따오는 건 어떠냐고 물었다. 난 좋다고 대답했다.

1교시가 끝나고 쉬는 시간이 되자마자 나와 성빈이는 학교 밖으로 달려 나갔다. 교문 옆 화단에는 여러 색의 꽃들이 따스한 봄바람을 맞으며 고개를 내밀고 있었다.

성빈이는 화단 가운데에 피어 있는 노란 튤립을 가리키며 말했다.

"이거 예쁘지 않아?"

그것보단 옆에 있는 분홍 튤립이 더 나은 것 같았다. 나는 노란 튤립 옆에 붙어있는 분홍 튤립을 가리켰다. 가리켰다.

결국 가위바위보를 통해 정하기로 했다. '가위바위보' 소리와 함께 난 가위를 냈다. 기쁘게도 성빈이는 보를 내고 있었다. 난 작게 환호성을 질렀고 성빈이는 손목을 부여잡으며 아쉬운 함성을 질렀다. 그 모습이 어린 애같이 유치해 보여서 저절로 웃음이 튀어나왔다.

성빈이는 관리사 선생님이 오는지 망을 보았고 나는 선생님이 오지 않는 틈을 타 꽃을 땄다. 줄기를 따라 흐르는 꽃의 진액이 손가락을 적셨다. 나는 교복 치마에 진액을 슥 닦고 재빨리 성빈이를 불렀다.

서로의 몸 사이에 꽃을 숨기고는 아무 일도 없었다는 듯이 학교 안으로 걸어 들어왔다. 성빈이가 화장실에서 물을 떠 왔고, 나는 꽃을 그 안에 집어넣었다. 그리고 우린 아무 일도 없었다는 듯이 자리에 앉았다.

햇살을 맞으며 빛나는 분홍 튤립은 봄이 왔다는 것을 알려주는 편지와도 같았다. 우리는 사물함 위에 피어있는 꽃을 바라보았다. 그리고 서로를 향해 밝게 웃었다.

◆

학교가 끝나고 집에 도착하자마자 난 침대에 드러누워 인스타그램을 열었다. 학교 공식 인스타그램에 새 게시물이 올라와 있었다.

-*민중중학교 밴드부 레슨 신청자를 받습니다... 전 학년 신청 가능...악기 선택 가능...신청하실 분들은 DM*

남겨주시기 바랍니다.

난 한 번 더 그 게시물을 읽어 보았다. 심장이 두근두근 뛰기 시작했다. 밴드 악기를 배우는 것은 내 로망 중 하나였다. 공부도 해야 하고, 학원은 레슨비가 만만치 않아서 잠시 접어두던 꿈이었다. 그런데 그 꿈을 이루어줄 존재가 지금 내 앞에 나타나 있었다.

내가 밴드에 로망을 가지게 만든 대상은 바로 밴드 '담화'였다.

음원 사이트에서 무심코 듣게 된 어느 한 노래는 내 마음을 거세게 흔들어 놓았다. 그 노래는 은근하면서도 또한 정열적이었다. 난 순식간에 그 노래에 그리고 그 노래를 만든 밴드에 빠져버리고 말았다. 그 밴드가 바로 '담화'였다.

보컬도 좋아했지만 난 악기 섹션들을 특히 더 좋아했다. 그리고 그중에서도 드럼을 제일 좋아했다.

드럼은 음악이라는 집 안에서 기둥과도 같은 역할을 맡는다고 한다. 기둥이 없으면 집이 서있을 수 없는 것처럼 드럼이 없으면 곡은 완성되지 않는다.

담화의 드러머는 그런 기둥의 중요성을 아주 깊게 깨닫게 해주는 존재였다. 게다가 그 분은 그냥 평범한 기둥이 아니었다. 집을 아주 근사하게 만들어주는 고풍지고 멋진 기둥이었다.

내가 그 드러머처럼 되지는 못해도, 언젠가 한 번쯤
은 그분만큼 열정적으로 드럼을 쳐보고 싶었다.

나는 곧바로 드럼 레슨을 받겠다고 DM을 남겼다. 그
리고 이틀 뒤, 레슨 성사를 알리는 연락이 도착했다.
배정받은 레슨 시간은 매주 수요일 1시였고 점심시간
중이었다.

몇 주 내내 기다렸던 수요일 점심이 되자, 나는 밴드
실로 뛰어갔다.

계단을 오르고 올라 밴드실이 있는 4층에 도착했다.
학급이 없는 4층은 인기척 없이 조용했다. 난 드럼스
틱을 손에 꼭 쥐고 고요한 4층 복도를 걸어갔다.

잔뜩 기대하며 달려왔지만 막상 도착하니 불안한 마
음이 엄습했다. 난 레슨 시간만 알았지 누가 레슨을
해주는지는 모르고 있었다. 만약 이상한 사람이 걸렸
으면 정말 큰일 날 일이었다. 일대일 레슨인데 그렇게
된다면 여러모로 힘들 것이 뻔했다. 안 맞는 사람과
함께 있는 건 안 맞는 옷을 억지로 껴입는 것과 같이
불편하고 답답한 일이다. 드럼스틱을 쥐고 있는 손에
차가운 땀이 맺혀오기 시작했다.

'밴드실'이라는 팻말이 걸린 문 앞에서 멈춰 섰다.
그 문 위에는 조그마한 창이 하나 나 있었다. 난 그
안을 슬쩍 들여다보았다. 안은 불이 꺼진 채로 어둠만

이 둘러싸고 있었다. 아무도 없는 걸 확인했으니 시원하게 문을 열었다. 바깥의 빛은 암흑 속에서 밴드실 안의 모습을 드러냈다. 오늘부터 내가 치게 될 드럼이 밴드실 중앙에서 반짝거리고 있었다.

밴드실 안에 있는 소파에 앉아 벽면에 붙어있는 시계를 보았다. 레슨시간인 1시는 이미 지나 있었다. 1시 5분이 넘어 있었고 10분이 다돼갔다. 그럼에도 밴드실에는 나 혼자였다. 레슨 상대는 오지 않았다.

레슨시간을 1시로 기억하고 있는 내 머리가 의심스러워지기 시작했다. 이대로 점심시간이 끝날 때까지 아무도 오지 않을 것만 같았다. 난 손톱을 물어뜯기 시작했다. 그리고 남은 손으로는 벽을 두드렸다. 4층 복도는 여전히 조용했고 그 안의 인기척은 나 혼자뿐이었다.

난 반으로 돌아갈지 말지의 갈림길에 서 있었다.

그런데 밴드실을 등지고 있는 소파 뒤쪽으로 누군가의 기척이 느껴졌다. 그리고 그와 동시에 어떤 향이 내 코끝을 건드렸다. 분명 어디선가 맡아본 적이 있는 향이었다. 달달하면서도 시원하고 묵직한. 난 서둘러 뒤를 돌아보았다. 내 뒤엔 어떤 사람이 드럼스틱을 든 채로 서 있었다.

난 서둘러 자리에서 일어났다. 그런데 일어날 때 발을 잘못 디뎌버려 그만 바닥으로 미끄러지고 말았다.

무릎이 조금 아파왔지만 지금 아파할 수는 없었다. 난 벽을 짚고 간신히 일어서서 밴드실 문 앞에 서 있던 그 사람을 보았다.

그 사람은 무표정하게 날 보고 있었다. 그런데 어디서 본 듯한 사람이었다. 긴 머리에다 어딘가 싸늘해 보이는 저 표정은 알 듯 모를 듯하게 내 기억 속에 남아 있었다.

그 사람이 내 쪽으로 한 발 걸어오는 순간, 기억이 났다. 저 얼굴과 함께 있었던 특이한 향으로 떠올릴 수 있었다. 바로 3학년의 정한성이었다.

"네가 유은이야?"

아마도 한성인 것 같은 그 사람은 엉거주춤한 내 꼴을 슬쩍 보며 물었다. 난 고개를 끄덕였다. 그 사람은 내 머리 위로 손을 뻗어 반쯤 벌어진 밴드실 문을 완전히 열었다. 문에 기대고 있어서 하마터면 뒤로 넘어질 뻔 했다. 그리고 그 사람은 날 슬쩍 흘겨보더니 비키라며 손을 휘저었다. 내가 자리를 비키자 그 사람은 나를 지나쳐서 밴드실 안으로 들어갔다. 그리고 드럼 안에 들어가 손에 들고 있던 파란 파일을 뒤적거렸다.

그 사람은 내게 그 어떤 눈길도 주지 않았다. 민망하면서도 참 어이가 없었다. 나랑 처음 보는 사이일 텐데 인사 한마디도 하지 않았고, 자기 이름도 알려주지 않았다. 내 이름은 알고 있으면서.

이대로 어벙하게 서 있을 수만은 없었다. 난 밴드실 구석에 있는 의자를 끌고 와 그 사람 옆으로 가 앉았다. 그 사람은 내가 옆에 있음에도 불구하고 아무 말도 없이 악보만을 살펴보았고 드럼스틱을 탁탁 치고 있었다.

 확실했다. 이번 레슨은 망했다. 하필 걸려도 저런 싸가지 없는 사람이 걸리다니 운도 지지리 없었다. 밴드부에게 레슨 상대를 바꾸어달라고 말하기도 곤란했다.

 하지만 레슨을 포기하고 싶지는 않았다. 결국 내 앞에 남은 선택지는 이 사람에게 드럼을 배우는 것뿐이었다. 다짐은 했다만 앞길이 막막했다.

 하다못해 내가 결국 말을 꺼냈다.

"혹시 이름이 정한성 맞아요?"

"내 이름을 왜 알고 있어? 너 나 처음 보는 거 아니야?"

 역시나 정한성이 맞았다. 저번에 내 어깨를 치고 그냥 가버린 싸가지, 정한성.

 나는 옛날에 성빈이라는 애랑 같이 복도에서 마주친 적이 있었다고 대답했고, 이름은 성빈이가 알려준 거라 말했다. 성빈이라는 이름이 내 입에서 나오자마자 한성은 눈을 크게 뜨면서 나를 보았다. 그리고 약간 놀란 듯한 말투로 물었다.

"너 성빈이 친구야?"

아마 그럴 거라고 대답했다. 한성은 고개를 끄덕였다. 그리고 잠시 생각에 잠긴 듯이 드럼을 내려다보았다. 잠시 뒤 한성은 두 손을 탁탁 털고는 파란 파일에서 종이 한 장을 꺼내 들었다.
"악보 볼 줄은 알지?"
그리고 본격적인 레슨이 시작되었다. 처음에는 드럼 구조부터 설명해주었다. 그리고 드럼 악보를 보는 법을 알려주었고, 내가 다 알아듣자 드럼 치는 법과 기본 박자를 알려주었다.

내 첫 드럼레슨은 생각보다 그렇게 나쁘지 않았다. 한성이 친절한지는 정말 모르겠으나 레슨에 필요한 부분들은 꽤나 잘 짚어주었다.
레슨이 끝나자 한성은 드럼스틱을 내려놓고는 악보를 정리하기 시작했다. 그리고 레슨이 끝났으니 나가도 된다고 말했다. 날이 서 있는 말투는 아니었으나 매우 차가웠다.
결국 나는 쫓겨나듯이 밴드실을 빠져나왔다. 밴드실 문은 쿵 소리를 내며 닫혔다. 레슨이 나쁘지 않다고 했던 말 취소해야 할지도 모르겠다.
난 굳게 닫혀있는 밴드실을 한 번 째려보았다. 그 안에서는 아무것도 신경 쓰지 않는다는 듯이 거창한 드럼 소리가 흘러나오고 있었다.

그리고 내려오는 3층 계단 밑에서 익숙한 얼굴을 만났다. 그건 성빈이었다. 성빈이는 운동이라도 했는지 약간 빨간 얼굴을 하고 있었다. 성빈이는 살짝 웃으며 내게 물었다.

"위에서 드럼 배우고 온 거야? 재미있었어?"

난 머리 위에 손을 가져다대고 고개를 절레절레 흔들었다. 성빈이는 바닥을 보며 천천히 고개를 끄덕였다. 그리고는 5교시에 보자며 손을 흔들고는 날 지나 4층으로 뛰어올라갔다. 얼핏 보이는 성빈이의 손에는 빳빳한 종이 같은 것이 삐져나와 있었다.

◆

또 다시 한 주가 지나고 어김없이 수요일 점심이 찾아왔다. 저번 주까지만 해도 기대에 가득 찬 시간이었다. 하지만 이젠 아니었다. 다시 또 그 싸가지 없는 사람을 봐야 한다는 생각에 자연스레 한숨이 폭 쉬어졌다. 온 몸은 녹조라도 된 것 마냥 축축 쳐졌다. 바닥에서 떨어지기 싫어하는 발을 질질 끌면서 4층으로 올라갔다.

4층은 여느 때와 다름없이 인기척 없이 고요했다. 그런데 저 멀리서 고요를 깨는 어렴풋한 드럼소리가 들려오기 시작했다. 난 홀린 듯이 그 소리를 따라갔다.

빛이 잘 들지 않아 어두컴컴한 복도 구석에 빛 한줄기가 새어 나오고 있었다. 빛의 근원은 밴드실 이었다. 나는 밴드실 문 앞에 바짝 서서 위의 조그마한 창문으로 그 안을 들여다보았다.

그 안에는 한성이 있었다. 드럼소리의 정체는 한성이 었던 것이다. 한성의 손이 이리 갔다가 저리 갔다가 할 때마다 터져 나오는 그 소리들은 조용했던 복도를 아득하게 채워가고 있었다.

그런데 이 소리 어딘가 익숙했다. 난 문에 귀를 더 가까이 대어 그 안에서 흘러나오는 소리에 집중했다. 이 비트는 분명 내가 아는 것 중 하나였다. 그런데 무엇인지 도저히 알 수가 없었다. 그냥 밴드실 안으로 들어가서 물어볼 수도 있었을 것이다. 하지만 내가 들어간다면 이 소리를 다시는 듣지 못하게 될 것 같았다. 실마리라도 잡아보기 위해 내 머릿속을 뒤지며 그 비트의 정체를 한창 찾아가고 있었을 때, 드럼 소리가 멈추었다.

난 살며시 창문으로 고개를 내밀었다. 그리고 한성과 눈이 마주쳐버리고 말았다. 한성은 내가 밑에 있던 것을 알았다는 듯이 문에 난 창문을 쳐다보고 있었다. 난 급히 고개를 숙였다. 얼굴은 순식간에 뜨거워졌다.

난 고개를 그대로 숙인 채로 살며시 밴드실 문을 열었다. 통풍이 잘 되지 않는 밴드실 특유의 답답한 공기가 몸 앞에서 질척댔다. 난 여전히 바닥만을 바라본 채로 앞으로 한 발자국 걸어갔다.

그때, 무언가와 부딪쳐 버렸다. 나는 천천히 고개를 들었다. 문손잡이를 잡은 채로 날 보며 미간을 찌푸리고 있는 한성이 내 앞에 있었다. 뜨겁고 습한 기운은 한성에게서 나오던 것이었다. 그리고 그와 함께 또 다시 한성의 향이 느껴졌다. 참 지긋지긋하기도 해라.

난 애써 입꼬리를 올려 한성에게 미소를 지어 보였다. 아무리 싫어도 이번 학기 동안은 잘 지내야 하니. 순간 한성의 눈동자가 흔들렸다. 한성은 천천히 뒷걸음질을 치며 내 눈을 피했다.

나는 입을 막은 채로 구부정하게 서 있는 한성을 지나 드럼 안으로 들어가 앉았다. 드럼 안에 들어와 보니 멀리서는 보지 못했던 여러 가지 부분들을 볼 수 있었다. 칠이 벗겨진 스네어라던지, 곳곳이 벗겨진 프린팅 같은 부분들 말이다.

그리고 스네어 위에는 한성의 드럼스틱이 놓여 있었다. 나무로 된 스틱의 주변에는 거뭇거뭇한 것들이 착색되어 있었다. 그리고 스틱 끝 쪽을 본 나는 놀라지 않을 수가 없었다. 완만하던 손잡이와는 다르게 그 끝은 마치 가시들이 모여 있는 것과 같은 모양으로 날카롭게 세워져 있었다.

성빈이에게 들은 내용으론 한성은 드럼을 꽤나 오래

쳤다고 한다. 저 가시들은 어쩌면 연륜의 흔적일지도
모른다. 어떤 것들은 세월이 쌓일수록 점점 더 날카롭
고 뾰족하게 변하였다. 저런 모습의 늙음이란 과연 어
떤 것일지 감히 상상이 가지 않았다.

난 한성을 바라보았다. 한성은 어딘가 생각에 잠긴
듯이 턱을 괴고 땅바닥만을 뚫어져라 보고 있었다.

예전에 성빈이가 우리 학교 밴드부 '서민들'에 대해
이야기해준 적이 있었다. 밴드부 3학년들로 이루어진
밴드인데, 정말 좋은 실력을 가지고 있다고 했다.

그리고 지금 내 옆에 앉아있는 이 싸가지 정한성이
그 밴드의 드러머라고 했다. 게다가 엄청난 실력파라
고 재차 강조해서 말하였다.

솔직히 별로 믿고 싶지는 않았다. 하지만 성빈이 말
이기도 하고, 아까 들었던 것으로 봐서는 틀린 말은
아닌 것 같아 보였다.

사람의 물건은 사람의 인생과도 같다는 말이 있다.
한성의 드럼스틱은 꾀죄죄했고 금방이라도 부서질 것
같았다. 그것이 한성이 인생이었던 것일까?

레슨은 시작되었고, 난 먼저 저번 시간에 배웠던 드
럼의 기본 박자들을 복습했다. 그때부터 난관이 시작
되었다. 머리로는 다 기억하고 있는데 몸이 마음대로

움직이지 않았다. 스네어를 쳐야 할 부분에 하이엣을 치고 박자가 자꾸 빨라졌다가 느려지는 둥 자꾸 틀렸다. 어려운 부분도 아니고, 저번에 한 번 했던 건데도 잘 되지 않았다.

난 확실히 재능이 없었다. 담화의 드러머 같은 모습은 접어 둘 수밖에 없는 실력이었다.

옆에 있는 한성 생각이 났다. 나의 이런 추태에 분명히 좋지 않은 표정을 하고 있을 것이다.

나는 한성을 슬쩍 보았다. 그런데 한성은 내 예상과는 완전히 다른 모습을 하고 있었다. 한성은 웃고 있었다. 비웃음이나 헛웃음 같은 게 아니라 진짜 웃음 말이다. 반달 같이 넓게 벌린 입으로 미소를 짓고 있었다. 초승달 같이 웃고 있는 눈으로 내가 드럼을 치는 모습을 보고 있었다. 난 한성이 웃을 줄 모르는 사람인줄 알았다. 그런데 웃는 모습이 너무 의외여서 하마터면 드럼을 치는 것을 잊어버릴 뻔했다.

내 시선을 알아챘는지 한성은 입을 가리고는 나를 보며 엄지를 내밀었다. 방금 전까지만 해도 뚱해 있더니만 지금은 또 웃는다. 참 이상한 사람이다.

곧이어 한성은 자기가 한 번 더 보여주겠다면서 내 손에서 스틱을 빼냈다. 그러면서 한성과 나의 손끝이 스쳤다. 그 순간, 손 깊은 곳에서 알 수 없는 찌릿함이 느껴졌다. 그 느낌은 손끝에서부터 내 팔을 타고 지나가 가슴 깊은 곳을 때리고 지나갔다.

한성이 시범을 보여주는 동안 난 아직 남아있는 그 이상야릇한 기분에 떨리는 손끝을 부여잡고 있었다. 너무 열심히 드럼을 쳐서 그런가, 약간 더웠다.

"처음은 원래 잘 안 되는 거야. 나도 드럼 처음 칠 때는 엄청 틀렸었어."

드럼스틱을 내려놓으며 한성은 말했다. 저 사람이 이런 위로 담긴 말을 하는 게 가능한 건지 고집스러운 의문이 들었다. 그래도 왠지 모르게 마음이 놓이기는 했다. 생각만큼 그렇게 나쁜 사람은 아닐지도 모르겠다.

그날 저녁 호기심에 한성의 인스타그램 계정에 들어가 보았다. 한성의 계정에는 무대에서 드럼을 치는 영상 하나만이 올라와 있었다. 한성은 화려한 조명 밑에서 모두의 함성을 받으며 드럼을 치고 있었다. 치는 모습을 보니 확실히 성빈이 말대로 군더더기 없는 실력인 것 같긴 했다.

싸가지는 없으면서 이런 건 또 열심히 한다. 매일 뚱한 표정이나 짓고 있으면서 막상 레슨은 잘한다.

왜 그랬는지는 모르겠지만 난 그 뒤로 한성의 영상을 몇 번이나 더 돌려보았다.

정말 알 수 없는 사람이었다. 저 정한성 선배는.

◆

 그 후로도 매주 수요일마다 난 한성에게서 드럼을 배웠다. 미운정도 정이라고 시간이 지날수록 한성에겐 알지 못할 친밀감이 생겨났다. 한성은 생각보다 그리 나쁜 사람이 아니었다. 그저 말이 없고 도도한 사람이었다. 지금 생각해보면 말 그대로 정이 붙었던 것 같았다. 한성도 나에게 정이 붙은 건 똑같았는지 학교 안에서 마주치기라도 하면 내게 가벼운 손 인사를 건네곤 했다.

 그런데 내가 먼저 손을 흔들어 줄 때면, 한성은 애매모호한 웃음을 지으면서 내게 손을 흔들고는 곧바로 자리를 피하였다. 기뻐 보이는 표정은 아니었는데 그렇다고 해서 싫은 표정은 또 아니었다. 한성은 정말 속을 모르겠는 사람이었다.

"야 장유은, 좀 이따 위에서 보자."

 밥을 다 먹고 양치를 하러 가는 길이었는데, 누군가 내 어깨를 건드리며 말했다. 뒤에서부터 느껴지는 익숙한 향기, 곧바로 누군지 알 수 있었다.

 한성은 무슨 좋은 일이 있었는지 날 내려다보며 장난스러운 표정으로 활짝 웃고 있었다.

양치를 다 하고 4층으로 올라가 보니 한성이 먼저 와있었는지 복도에는 드럼소리가 작게 울려 퍼지고 있었다.

그런데, 이 박자, 분명 익숙했다. 저번에도 들어본 적 있는 것이었다. 그때, 드럼의 필인이 들려왔다. 그리고 그와 함께 내 마음속을 꽉 막고 있던 수수께끼가 풀려났다. 난 곧바로 밴드실로 달려갔다.

"혹시 아까 드럼으로 친 곡 담화의 '네가 아니라면' 맞아?"

갑자기 튀어나와서 저렇게 묻는다는 게 한성 입장에선 좀 당황스러웠을 수도 있지만, 다른 건 중요하지 않았다. 그 비트의 정체를 알았다는 사실이 기뻤고, 게다가 담화의 노래였다.

"어 맞아, 너도 이 노래 아는구나."

"혹시 담화 좋아해?"

내 말이 끝나자마자 한성은 내가 여태까지 본 적 없던 가장 큰 미소를 지었다.

"장유은, 너 뭘 좀 알구나?"

그 말을 들은 순간 한성에 대한 좋지 않은 생각들은 불판 위에 올려둔 얼음처럼 순식간에 사라져 버리고 말았다.

한성은 드럼 안에서 일어나 내 옆으로 다가왔다. 그리고 우리는 자연스럽게 밴드실 벽면의 소파로 가 앉았다.

한성은 담화를 좋아하는 또 다른 사람을 만났다는 것에 신이 나 보였다. 그도 그럴 것이 담화는 유명하지 않은 인디밴드여서 알고 있는 사람이 거의 없다.

그리고 나도 한성과 마찬가지로 정말 신이 나 있었다. 담화를 알고 또 좋아하는 사람을 만난 건 한성이 처음이었다.

한성도 나와 마찬가지로 담화의 드럼을 가장 좋아한다고 말했다. 다시 보니 담화의 드러머와 한성이 드럼을 치는 스타일이 은근 비슷한 것 같기도 했다.

그동안 극으로 치솟아 있던 우리의 사이는 '담화' 하나 덕분에 순식간에 가까워졌다. 때때론 어떤 말 한마디가 사람과 사람을 잇는 중요한 다리가 될 때도 있다.

그리고 한성과 꽤 많은 대화를 해 보면서 그에 대한 생각도 다시 정립할 수 있었다. 한성은 그냥 좀 변덕이 많은 사람이었지, 내 생각과는 다르게 처음부터 날 싫어한 적은 없었다고 말이다.

"이번 8월에 열리는 락 페스티벌 진짜로 가고 싶다. 담화도 오는데."

밴드실의 회색빛 천장을 쳐다보며 한성은 말했다. 나 역시도 그랬다. 담화를 실제로 볼 수 있는 기회이니 얼마나 가고 싶겠는가.

하지만 난 같이 갈 마땅한 친구가 없었다. 혜은이, 윤서, 채민이 모두 음악에는 관심이 없었다.

한성은 잠시 침묵하더니 곧 나를 보며 무슨 할 말이 있다는 듯이 입을 열었다. 하지만 그 안에서는 어떤 말도 나오지 않았다. 한성은 다시 입을 닫고 작은 한숨을 내쉬며 천장을 올려다보았다. 그리고는 이내 자리에서 일어나더니 드럼스틱을 탁탁 치며 레슨을 시작하겠다고 말했다.

난 드럼 안에 앉아서 드럼을 정비하는 한성의 얼굴을 가만히 보았다. 지저분한 드럼스틱과는 다르게 한성의 얼굴은 윤기 났고 머리는 깔끔했다. 자주 끼던 은빛의 귀걸이와 목걸이는 천장의 조명을 받아 빛나고 있었고, 산처럼 높이 솟은 콧대도 마찬가지였다.

기분이 이상했다. 공간이 왠지 모르게 더워지는 것 같았다. 그래서 그런지 왠지 모르게 심장이 평소보다 더 빨리 뛰는 것 같았다.

레슨을 끝내고 반으로 내려오자 잠시 쉴 틈도 없이 수업 시작종이 울렸다. 난 서둘러 이동수업을 위해 책을 챙겼고, 수업 가자며 나를 부르는 혜은이를 따라 교실 밖으로 나갔다.

4교시는 기술가정 시간이었다. 조를 짜서 자료를 조사하는 시간을 가진다고 했다. 조는 자율적으로 짜라고 하셨다.

"애들아 조 짤 때 성비 잘 맞춰서 짜라."

'성비'

그 단어를 듣자마자 어린 시절의 악몽을 떠올린 것처럼 찝찝하고 무거운 기분이 먹구름처럼 몰려왔다. 내 의사와는 상관없이 날 옥죄고 있는 것이 있었다. 내 몸과 머리에 단단히 붙어 절대 떼어낼 수 없었다.

나는 XX염색체를 가졌다. 그렇기 때문에 나는 이 세상에서 여자가 되었다. 단지 생식 활동에서 멈추는 것이 아닌 내가 살아가고 관계 맺는 모든 것에서 난 여자가 되었다.

혜은이에게 성소수자에 대해 배운 후, 난 새로운 세상을 알게 되었다. 정확히 말하면 세상을 새로운 시선으로 볼 수 있게 되었다는 거다.

그전에는 이 세상에 여자와 남자만이 있는 것이 당연했다. 하지만 지금은 더 이상 그것이 당연하게 느껴지지 않았다. 솔직히 이상했다.

내게 여자와 남자는 그냥 이름일 뿐이었다. 사람들은 몸의 구조에 어떤 의미를 부여하고 사회 속에 종속시켰다.

하지만 만약 그것이 그냥 이름이라면, 나같이 다른 이름을 가지는 것은 과연 안 될지에 대한 의문이 들었다. 정말 나같이 여자도 남자도 아니게 되는 건 정말 불가능할까.

하지만 세상은 나 같이 만들어진 틀에서 벗어나려는 사람들을 장벽 너머로 치워 버린다. 정신적으로든 신체적으로든. 세상은 다른 모양을 한 존재를 좋아하지 않았다.

그렇기에 사람들에게 나의 이런 생각들을 알리기라도 하면 난 정신병자 취급을 받을 것이었다. 그리고 사람들은 경멸에 가득한 눈초리로 날 자기들의 세상에서 치워 버릴 것이었다. 알고 싶었던 사실은 아니었다. 하지만 어쩔 수 없이 마주해야 했던 일이었다.

그러니 난 불쾌한 감정이나 진짜 나 같은 건 꼭꼭 숨기고 여자로서 살아가야 했다.

결국 성비를 맞춘 조가 완성되었다. 남자 두 명. 여자 두 명. 당연히 난 여자 쪽이었다. 난 내 옆에 앉아 있는 혜은이를 보았다. 사실 언제나 당당했던 혜은이라면 성비에 관해 무슨 말이라도 해 주지 않을까하고 은근히 기대했다. 하지만 혜은이는 가만히 있었다.

이제는 퀴어 문제에 대한 관심이 식은 걸까, 조금 실망스러웠다. 하지만 확실히 깨닫게 되었다. 나 혼자 버텨내야 하는 일이라는 것을. 남한테 무언가를 기대하는 것은 무의미했다.

조별활동이 시작되고 얼마 지나지 않아 난 화장실에 간다 하고 자리를 비웠다. 그리고 **여자**화장실로 들어 갔다.

화장실 안쪽의 거울에는 여자아이 하나가 비춰지고 있었다. 그 아이는 목 언저리까지 오는 단발머리를 하고 있었고 예쁘게 화장을 한 채로 치마를 입고 있었다. 그리고 그 여자아이는 어디가 불편한지 입꼬리가 축 쳐진 채로 음울하게 거울을 보며 서 있었다.

그 아이는 이 여자화장실이라는 공간과 조화로운 외모를 가지고 있었다. 그 누구도 이 아이가 여자화장실에 있다는 것에 의문을 품지 않을 거다.

하지만 이 아이와 나는 달랐다. 이 아이는 공간과 조화로웠고, 난 그렇지 않았다. 난 혼자 다른 세계에 가 있었다. 모두가 함께 어울려 살아갈 때, 나만 혼자 저 멀리 앉아 있었다. 나는 어딘가 고장 난 사람이었고, 이 세상과 맞지 않는 사람이었다.

나는 오늘도 세상과의 부조화를 느끼며 살아간다. 어두운 화장실 칸은 오늘따라 더 작고 외로웠다.

내 삶은 가작

또 바보 같은 하루의 시작이다. 내 몸뚱이는 일어날 생각을 하지 않았고 침대에만 붙어 있었다. 제대로 움직여지지도 않는 손으로 침대 위를 더듬어 핸드폰을 찾았다. 시간은 어느새 8시 30분이 넘어 있었다. 등교 시간까지 채 30분도 남지 않았다. 등교 첫날부터 지각하면 선생님께 엄청나게 깨질게 분명했다.

난 제대로 떠지지도 않는 눈을 비비며 침대에서 굴러 내려왔다. 어제 새벽 넘어서까지 게임을 하다 자서 그런지 머리는 돌이라도 맞은 것처럼 지끈거렸다.

의자에 걸려있던 수건을 어께에 걸치고 화장실로 걸어갔다. 그리고 샤워기를 틀었다. 차가운 물이 내 머리와 얼굴을 적셨고, 머리를 쥐어짜는 것 같은 그 냉기는 잠을 깨워주었다. 거울에 비친 내 얼굴은 물에 담가졌다 나온 강아지같이 처량해 보였다.

머리를 말린 뒤 옷장 바닥에 널브러져 있던 교복을 걸쳤다. 언제 입어도 교복은 불편했다. 팔을 높게 들어올렸다. 그새 몸이 큰 건지 겨드랑이 부분의 공간이 부족했다. 그리고 의자 위에 걸려 있던 검은 패딩을 걸쳤다. 패딩을 입고 있으니 더워져서 서둘러 가방을 챙겨 방문을 열고 나갔다.

배에서 꼬르륵 소리가 났다. 아침을 가지러 부엌 식탁으로 향했다. 부엌은 어두웠고 냉장고의 웅웅거리는 소리만이 공허를 채우고 있었다. 식탁에는 봉지에 둘러싸인 식빵 몇 조각만이 놓여 있었다.

중학교에 입학하고 나서는 항상 이렇게 혼자 아침을 보냈다. 식탁 위에 온 가족이 둘러 앉아 아침을 먹으며 하루를 시작하는 것은 나에겐 그냥 드라마 속 환상일 뿐이었다.

아빠랑 이혼한 뒤 엄마는 거의 매일 내가 일어나기도 전에 일을 하러 나갔다. 학교를 가거나, 친구들을 만나거나, pc방에서 게임을 하는 등 내 나름대로의 일과를 보내고 나면 해가 질 때쯤 집으로 돌아오는 엄마와 만날 수 있었다. 그리고 같이 조용한 저녁밥을 먹고 나면 엄마는 다음날을 위해 일찍 잠에 들었다. 엄마는 일을 가지 않는 주말에는 죽은 듯이 잠만 자거나 아침 일찍 교회를 갔다.

그러다 보니 엄마랑 함께 시간을 보내는 날은 거의 없다시피 했다. 그래도 어쩔 수 없다. 먹고 살려면 죽을 듯이 발악해야 하는 것이 현실이니까.

끼익 소리와 함께 현관문이 닫혔다. 어딘가에서 끓이는 된장국 냄새가 복도에 흐르고 있었다. 나는 차가운 빵을 입에 물고 길게 늘어져 있는 아파트 복도를 걸어갔다. 시간은 8시 50분. 가볍게 뛰면 충분히 제 시간 안에 도착할 수 있었다.

아파트 단지를 빠져나와 구석에 있는 쪽문으로 나왔다. 그 밖은 출근하고 등교하는 사람들에 점령당해 있었다. 다들 여러 가지를 등에 지고 각자 나름의 걸음에 맞춰 어딘가로 향하고 있었다. 그 중에는 우리 학교 교복을 입고 있는 사람들도 많이 있었다.

"야 이성빈!"

누군가가 내 이름을 부르며 등을 쳤다. 하마터면 입에 물고 있던 식빵을 떨어뜨릴 뻔 했다. 이게 내 유일한 아침인데 말이다.

난 식빵을 입에서 떼곤 눈썹을 찌푸리며 뒤를 돌아보았다. 거기엔 준서가 서 있었다. 준서도 방금까지 뛰어왔는지 입에서 거친 숨을 내쉬고 있었다.

"정준서 니도 늦었냐? 미친놈이 어제 게임 좀 작작 돌리지."

"지랄, 그때까지 같이 했던 사람이 누군데."

그리고 우리는 서로의 우스꽝스러운 꼴을 보며 웃었다. 방식이 부드럽진 않아도 서로를 반기고 있다는 건 우리 둘 다 알고 있다.

준서는 성격이 워낙 시원해서 웬만한 자극에는 크게 반응하지도 신경 쓰지도 않는다. 웬만한 얘기는 털어놓아도 안심해도 될 녀석이었다. 이 차가운 세상에서 드문 따뜻한 녀석 중 하나였다.

난 입 안의 빵을 우물대며 준서와 함께 형형색색의 보도블록을 따라 걸었다. 다양한 색상의 보도블록들을 조합해 어떠한 패턴을 만들어놓았는데, 그 모습이 좀 기이했다. 멀리서부터 보면 계속 반복되는 모양에 어지러워지기도 했고, 규칙이 의미 없어지게 하는 다른 색상의 블록들이 중간에 자주 끼어 있어서 은근히 불편해지기도 했다.

그것들 외에도 내 주위의 여러 것들은 그렇게 복잡하면서도 불규칙적이었다.

그 길을 조금만 걸어가면 사람들이랑 자주 농구를 하러 가는 작은 공원이 나오고, 거기를 지나면 학교가 나온다. 나는 남은 빵 한 조각을 입 안에 완전히 집어넣고 교문 안으로 들어갔다.

역시 예전과 다를 바 없이 학교는 시끄러웠다. 사람

들의 말소리는 너무 시끄럽고, 소리 지르고 웃는 소리
는 내 정신을 갉아먹는다. 솔직히 지금이라도 뒤돌아
서 학교 밖으로 뛰쳐나가고 싶었다.

　그래도 참아내야 했다. 그래봤자 현실은 바뀌는 것
없고, 버텨내야 할 이유도 있었으니까. 난 입 안에서
굴러다니는 빵이 굳은 덩어리를 바닥에 뱉고 학교로
걸어갔다.

　중앙 현관으로 들어오면 마주치게 되는 철제 신발장
은 내가 이 학교에서 제일 싫어하는 것이었다. 철 비
린내랑 사람 냄새가 섞여 역한 냄새가 났고, 그 곁을
긁으면 나는 목덜미를 조르는 듯이 소름끼치는 소리
가 너무 싫었다. 난 신고 있던 슬리퍼를 그대로 신은
채 계단을 올랐다.

　내 반인 2학년 3반은 2층 맨 끝에 있는 교실이었다.
우리 집 방향인 우측 현관과 가까운 거리에 있어서
나름 괜찮은 위치이긴 했다.

　다행히 지각을 하진 않았고, 선생님도 교실에 계시지
않았다. 난 준서를 먼저 보내고 화장실에 들어가서 잠
시 입을 헹구었다.

'오늘 하루도 잘 지켜내자'

　거울 속의 내 눈을 마주하며 마음속으로 되뇌었다.

이번 반에는 작년에 같이 했던 1반 애들은 거의 없었고, 대부분이 2, 3반 애들이었다. 친한 녀석들도 많았지만 이름만 아는 사람들이 대부분이었다.

다시 또 저 많은 애들한테 다가가야 한다. 그래도 어쩔 수 없다. 친해지지 않으면 안 되었다.

최대한 밝아 보이는 웃음을 지은 뒤 다들 보고 싶었다는 듯이 밝은 목소리로 모두를 향해 인사했다. 이렇게 첫날부터 친근한 이미지를 만들어 주어야 한다. 난 눈이 마주치는 모든 애들에게 손을 흔들며 잘 지냈냐고 인사했다.

반 뒤에 모여 있던 남자애들 무리 중 한 명이 날 보더니 웃으면서 다가왔다. 나와 같이 축구부를 하는 윤혁진이었다. 작년에는 다른 반이었지만 축구부 활동으로 친해진 애였다. 혁진이는 내 어깨에 손을 올리더니 잘 지냈냐며 친근한 목소리로 인사했다.

혁진이도 나와 똑같았다. 이 세상에서 살아남으려면 주위에 사람들을 끌어 모아야 한다는 것을 잘 알고 있는 녀석이었다. 나도 혁진이의 어깨에 팔을 올리며 반가웠다는 듯이 혁진이에게 인사를 건넸다.

대충 인사를 끝낸 뒤, 비어있는 자리들을 살펴보면서 내 자리를 찾았다. 대부분의 애들이 책상에 앉아있어서 쉽게 찾을 수 있었다. 맨 뒷줄 창가 옆 부근이었다.

내 옆자리에는 어떤 여자애가 앉아 있었다. 그 애는 가만히 앉아 창밖만을 바라보고 있었다. 살짝 열린 창문에서 불어오는 바람을 타고 그 애의 검은 머리카락이 흔들리고 있었다.

나는 창문을 닫고 다른 애에게 했던 것처럼 인사를 하기 위해 그 애 근처로 다가갔다.

그런데 처음 보는 얼굴이었다. 이 학교는 학년마다 반이 세 개밖에 없어서 같은 학년 사람들의 얼굴이나 이름은 다 외우고 있었다. 그런 내가 사람을 못 알아볼 리는 없었다. 분명 전학 온 애 일 것이었다.

나는 그 애 옆으로 가까이 다가갔다. 가까이서 본 그 애는 쌍꺼풀진 큰 눈과 그와 비슷한 느낌의 동그란 코를 가지고 있었다. 내가 다가오자 그 애는 살짝 놀란 듯한 표정으로 나를 잠시 바라보았다가 이내 책상으로 눈을 돌렸다.

낯을 많이 가리는 사람인 것 같았다. 그 애는 내가 옆에 앉아 있는데도 불구하고 말 한마디 걸지 않았고 책상만을 보고 있을 뿐이었다. 난 의자에 가방을 건 뒤 자리에 앉았다. 그러자 그 애의 책상 모서리에 붙어있는 작은 이름표가 눈에 들어왔다. 흰 배경에다 검은 글자로 '장유은'이라 써져 있었다.

"안녕?"

난 그리고 유은이라는 저 친구에게 인사를 건넸다.

솔직히 별로 관심이 가는 인상은 아니었다. 하지만 땅만 바라보며 잔뜩 어색해하는 애가 옆에 있었고, 방금까지 딴 애들한테는 잔뜩 인사해 놓고선 아무것도 하지 않는 것도 이상했다.

난 그리고 이미 알지만 이름이 뭐냐고 물어보았다. 역시나 장유은이었다. 그리고 내 예상대로 올해 전학 온 사람이었다. 역시 내가 모르는 2학년이 있을 리 없었다.

유은이와 짧은 인사를 나눈 뒤, 나는 입고 온 패딩을 책상 위에 벗어두고 교실 뒤쪽에 모여 있는 남자애들 무리로 다가갔다. 무리의 대부분은 익숙한 축구부 애들로 이루어져 있었다. 나는 두 팔을 벌리며 그 애들에게로 다가갔고, 그 애들은 환호성을 질렀다. 그리고 내가 있을 자리를 넓혔다. 작년에 잘 가꾸어둔 덕이다.

애들 사이에 듬성듬성 놓여있는 의자에 걸터앉자. 축구부에서 보통 수비를 맡아 하는 지우가 옆으로 다가왔다. 그리고 여전히 자리에 가만히 앉아있는 유은이를 흘깃 쳐다보더니 내게 물었다.

"쟤 누구야?"

난 올해 전학 온 유은이라고 설명했다. 그러자 지우는 알았다는 듯이 고개를 끄덕이고는 의미심장한 웃음을 지었다. 그 의미심장한 웃음의 의미를 알아챈 혁진이가 내 어깨를 툭 치더니 말했다.

"쟤 꽤 예쁘지 않냐? 성빈아 쟤 어때? 너도 연애 좀 해야지."

그리고 지우와 똑같은 끈적끈적하면서도 의미심장한 웃음을 지었다.

난 유은이를 슬쩍 바라보고는 얼굴을 찌푸렸다. 여자와 연애 같은 건 하고 싶지 않았다.

"여미새냐? 내 취향 아니다."

그러자 애들은 약간 실망한 듯한 표정으로 말했다.

"니 좋다고 하는 애들이 널렸는데 넌 왜 여친을 안 사귀냐? 우리 중에 너만 아직 연애 못했어.

"성빈게이야."

그리고 애들은 저 말이 웃기기라도 한지 지들끼리 껄껄대며 웃었다.

불쾌했다. 말의 의미 같은 건 전혀 따지지도 않는다. 분명 좋은 의미는 아닐 텐데.

하지만 여기서 불쾌감을 표하는 순간 분위기는 순식간에 싸해질 것이 뻔했다. 그렇기에 난 애들을 따라 입꼬리를 올리며 히히 웃었다.

분위기는 지킬 수 있었으나 그 대가로서 내 기분은 물을 끼얹은 듯이 가라앉았다.

"그냥 조용히 있어라. 나 물먹으러 간다, 이 게이들아."

기분전환도 할 겸 물을 떠온다고 하고 자리를 비웠다.

계속 무언가를 찾고 있다.

음수대에서 물을 받고, 복도를 지나 반으로 돌아오는 동안에도 무언가를 찾고 있었다. 2학년 2반을 지나고, 3반으로 돌아올 때 까지도 난 무언가를 찾고 있었다.

1교시 시작종이 울렸고, 그와 동시에 선생님이 들어왔다. 난 낙엽처럼 책상 위에 널브러져있는 패딩을 베고 엎드렸다. 물을 흘려 축축해진 손만큼 찝찝하고 거슬리는 기분이 내 머리를 잡고 누르고 있었다.

난 그 상태로 고개를 돌려 유은이를 보았다. 로봇같이 딱딱하게 허리를 피고 앞을 보는 저 친구, 가만히 놔두기에는 무언가 좀 거슬렸다.

나는 책상 위에 고철 덩어리처럼 놓여 있는 유은이의 팔을 톡톡 쳤다. 약간의 동정심이 생겼는지 무슨 말이라도 걸어야 할 것 같았다.

"너 학교 구조는 알고 있어?"

내 입이 열리자마자 유은이는 나를 돌아보았다. 역시 재도 바라고 있던 거였다.

내 질문에 유은이는 모른다며 고개를 저었다. 난 점

심시간에 학교를 안내해주겠다고 얘기했다. 그게 전학 온 애한테 가장 필요한 것일 거다. 그리고 짝꿍으로서 가장 하기 좋은 일이기도 하다. 그러면 저 애도 거의 공략 완료이다.

　1교시가 끝난 뒤, 아까 같이 반 뒤쪽에 모여 있는 사람들에게 다가갔다. 그러자 지우가 날 보더니 말을 꺼냈다.
"야 이성빈, 저번 주에 만났던 2반 이유진 기억나냐? 걔가 너 맘에 든다는데 소개받으실?"
"아 지우야 제발, 개소리야."
　또 여자 이야기다. 지우는 애절한 목소리로 내게 매달렸다.
"아니 왜, 솔직히 이유진 정도면 괜찮잖아. 너 소개해준다고 했단 말이야."
"아 됐어. 그런 거 하지 말고 공부나 해라. 니 서울대 가고 싶다매."
"너는 진짜 생긴 건 괜찮은데 왜 연애를 안하냐.
니 진짜 게이는 아니지?"
"싸려라 걍."
　저 애들은 항상 여자만 보이면 미친개처럼 달라붙는다. 그렇게 좋으면 자기들끼리 놀면 될 텐데 왜 자꾸 날 끼워 넣는지 모르겠다. 기분 나쁘지 않을 정도로 적당히 둘러내면서 빠져나오는 것도 이제 지친다.

점심을 먹은 뒤, 학교를 보여주기 위해 유은이를 데리고 교실 밖으로 나갔다.

난 1층부터 4층까지 보이는 모든 교실을 들여다보며 꽤나 열성적으로 설명했다.

생각해 보니 나 역시도 이렇게 학교 구석구석을 둘러본 적은 거의 처음인 것 같았다. 비는 시간이 있으면 항상 운동장에서 축구나 농구 등의 운동을 했기 때문에 교실과 운동장, 그리고 이동수업을 하는 교실들 외에는 가보지도, 관심을 가지지도 않았다.

내 뒤를 졸졸 따라오는 유은이는 학교의 어디가 그렇게 좋은지 눈동자를 반짝이며 여기저기를 보고 있었다. 그리고 이따금씩 작은 환호를 하기도 했다. 이런 칙칙한 콘크리트 건물이 뭐가 좋은 건지 이해가 가지 않았다.

새로운 사람을 만나고 대화를 하는 것은, 우선 나와 대화하는 상대의 공통점을 찾는 것부터 시작한다. 유은이에 대입해보자면, 나와 같은 반이라는 것이 공통점이 될 수 있다.

"우리 반 쌤 어떤 거 같아?"

"처음 봐서 잘 모르겠긴 한데, 말이 좀 많으신 거 같아."

역시 또 성공이다.

"인정. 말 진짜 많으심. 저 쌤 수업은 맨날 늦게 끝나."

이런 식으로 공통점을 찾아 말을 이어 나가면 된다. 그리고 난 거기에 이어서 유은이에게 쌤들 이야기를 더 해 주었다. 유은이는 흥미 있는 표정으로 고개를 끄덕거렸다. 역시 이 방법은 틀릴 일이 없다.

유은이의 다른 특징 중 하나는 전학을 왔다는 것이다. 그렇다면 전 학교에 대한 내용도 좋은 화제가 될 것이다.

"전에 다니던 학교는 어땠어?"

그 말을 꺼낸 순간, 밝았던 유은이의 표정에는 검은 그림자가 드리워지기 시작했다. 그리고 바닥을 바라보며 아무 말도 하지 않았다.

아뿔싸, 실수했다. 목덜미가 순식간에 차가워지고 온몸의 털이 바짝 서는 것 같았다. 좋지 않은 이유로 전학 왔을 수 있는 확률을 고려하지 못했다. 바보 같은 나는 상황을 더 깊게 생각하지 못하고 저 애의 좋지 않은 부분을 건드려 버렸다. 내 인간관계에 금이 가기 시작한다.

"학교에서 좋지 않은 일이 생겨서 어쩔 수 없이 전학 왔지 뭐야."

유은이가 배시시 웃으며 말했다. 다행히 내 말을 나

쁘게 받아들이지 않은 것 같다. 잠깐 동안 서려 있던 얼음 같은 정적은 유은이의 웃음 하나로 녹아 내렸다.

그리고 우린 무사히 평범한 대화로 돌아올 수 있었다.

학교의 모든 공간을 보여준 뒤, 우린 2층으로 돌아가기 위해 계단으로 향했다. 걸어가던 중, 유은이의 허리춤에서 달랑거리는 무언가가 보였다.

그건 주머니 사이로 삐져나온 핸드폰 위에 걸려있는 조그만 키링 이었다. 자세히 살펴보니 키링 위엔 분홍색 머리에 보라색 눈을 가진 캐릭터 하나가 그려져 있었다. 분명 낯이 익었다.

"혹시 이거 뭐야?"

난 조심스레 키링을 가리키며 물었다.

"내가 좋아하는 만화 캐릭터 키링이야."

그리고 유은이는 주머니에서 키링을 빼 내 눈앞에 가져다댔다.

가까이서 보니 확실히 알 수 있었다. 그건 내가 좋아하는 애니메이션 '플루토 프로젝트'의 캐릭터였다.

"이거 플루토 프로젝트의 레비노 아니야?"

그 순간 유은이의 눈은 그 어느 때보다 가장 강하게 빛났다. 유은이는 입가에 미소를 지으며 맞다 대답했다. 그리고 눈썹을 약간 찌푸리며 어떻게 알았냐고 물었다. 어떻게 알고 있나니, 오히려 내가 묻고 싶었다.

플루토 프로젝트는 별로 유명하지 않은 애니이다. 그래서 남몰래 좋아하고 있었는데, 여기서 그 팬을 만나 버리다니, 깜짝 놀랄 수밖에 없었다.

"이 애니 나도 진짜 좋아해. 감명 깊게 봤어."

난 그리고 유은이를 바라보며 미소를 지었다. 먼 외국을 홀로 여행하고 있을 때, 우연히 말을 건 버스 옆자리 사람이 한국인이면 분명 이런 기분일 것이다. 그냥 성가신 전학생일 줄 알았는데 뭘 좀 아는 녀석이었다.

우리는 그렇게 플루토 프로젝트 이야기를 하며 회색빛의 길고 긴 복도를 걸었다.

하지만 여전히 난 무언가를 찾고 있었다.

3층과 2층 사이, 계단과 계단의 전환점이었다.

찾았다.

3월 초의 날씨는 11월 말의 날씨와 비슷하다. 차가운 공기 속 약간의 따뜻한 공기가 숨어 있다. 그 따뜻한 공기를 찾다가 감기에 걸리기에도 쉽다.

그때의 난 그 뒤죽박죽 한 날씨에 그만 걸려버리고 말았다.

3층으로 올라가는 2층 계단 앞에 그 사람이 서 있었

다.

그 사람은 창 안으로 들어오는 햇빛을 한 몸에 받고 있었고, 그의 머리카락은 햇빛과 함께 검게 빛나고 있었다. 오랜만의 보는 그 사람은 예전보다 훨씬 더 키가 커져 있었고, 얼굴은 말할 것도 없이 근사해져 있었다. 그 사람이 입고 있는 옷들은 오로지 그를 위해 만들어진 것처럼 함께 가장 아름다운 모습을 하고 있었다.

나는 너무 반가웠던 나머지 그를 향해 손을 뻗었다. 방학에도 만나지 못해서 얼마나 보고 싶었는데.

하지만 채 손을 뻗기도 전에 그 사람은 나를 날쌔게 지나쳤다. 내가 뒤를 돌아보기도 전에 그는 거인처럼 커다란 걸음으로 계단을 올라 저 멀리 3층으로 사라져 버리고 말았다.

그 한 순간의 찰나에 깊이 빠져버린 난, 강물에 물건을 빠뜨린 사람 마냥 그를 쫓지도, 그냥 가지도 못하고 그가 지나간 흔적을 멍하니 보고 있을 수밖에 없었다.

"저 사람은 누구야?"

유은이는 그 사람이 사라진 쪽을 한 번 돌아보고는 물었다.

"3학년 정한성형. 한성이형이야.

1학년은 모든 것에 열렬할 때이다. 인생의 새로운 장면이 될 학교에 대한 호기심과 그를 뒷받침해 줄 희망으로 가득 차 있다. 새하얀 도화지와도 같은 그 마음은 어느 것에도 쉽게 물들어버리기 마련이다.

11월 말, 서리 맺힌 공기가 콧잔등을 간질이던 그날, 나는 그만 그 사람에게 물들어버리고 말았다. 한성이형에게.

학교 음악제 날, 밴드 서민들의 공연을 처음 본 순간, 나는 형에게서 눈을 뗄 수 없었다.

그냥 친하게 지내던 형이었는데, 그 날은 그 어느 때하고 전혀 달랐다. 그 형이 가끔 드럼을 친다며 자리를 비우곤 하는 건 알고 있었다. 하지만 환한 조명을 받으며 드럼을 치던 형은 그 어떤 형보다도 환상적이었다. 형이 잠깐 자리를 비울 때마다 보냈던 그 시간들의 진가를 그날 난 알게 되었다. 장난스럽기만 했던 형의 진중함을 깨닫게 된 것이었다.

유은이를 반으로 데려다준 뒤, 난 최대한 빠른 걸음으로 한성이형이 지나갔던 계단을 거슬러 올라갔다. 계단 한칸을 오를 때마다 내 심장은 점점 더 커져갔고 빠르게 뛰어갔다.

저기 있다.

형은 3학년 1반 앞문으로 나오고 있었다. 회색 물병

을 들고 교복 셔츠 이곳저곳을 가다듬으며 반 밖으로 걸어 나가고 있었다.

나는 숨을 크게 들이쉬고는 천천히 내쉬었다. 나는 절대 형을 보러온 것이 아니고, 뛰어온 적도 없다며 나를 속였다. 숨을 다 고른 뒤 한성이형에게 걸어갔다.

"어? 한성이형?, 오랜만이다."

한성이형과 눈이 마주치자 난 형에게로 뛰어갔다. 형은 나를 향해 살며시 미소를 지으면서 손을 흔들었다. 그 미소는 바쁘게 수업을 듣다가 잠시 창밖을 보았을 때 마주치는 바깥 풍경같이 고요하면서도 내 마음을 역동적으로 뛰게 만들었다. 나는 참으려고 해도 자꾸만 새어나오는 웃음을 최대한 숨기려고 노력하며 형을 바라보았다. 복도는 겨울 기운 가득하게 서늘했지만 햇빛이 내 얼굴에만 비치는 건지 얼굴이 한여름처럼 뜨거워졌다.

"형 저번에 공모전 나간다는 거 어떻게 됐어?"

난 은근히 형에게 가까이 붙으며 물었다. 그러자 한성이형은 아까보단 어두워진 표정으로 내 어깨에 손을 얹더니 고개를 저었다. 감정은 전염성이 것인지 나 역시도 기분이 약간 가라앉았다.

하지만 그와 반대로 형이 잡고 있는 내 몸의 반쪽은 그 어느 때보다 기쁨에 날뛰고 있었다.

이런 접촉들을 자꾸 의식해서는 안 된다고 마음속으로 계속 되새겼다. 하지만 내 몸은 내 마음과는 다르게 움직였다. 난 자꾸 튀어나오려는 웃음을 억누르면서 형과 평범하고도 신이 나는 대화를 이어갔다.

"오늘 오전에 학원 갔다 지금 온 거야?"

"응. 레슨 시간이 그때밖에 안 나서. 담임한테 말 하긴 했는데, 그래도 좀 혼났다."

"그게 뭐야. 쌤 너무 빡세신 거 아니야?"

형과 이런저런 얘기를 하며 걷다 보니 어느새 음수대 앞에 도착해 있었다. 형은 물병에 물을 받았고 난 옆에서 그 모습을 가만히 지켜보았다.

물병 속으로 떨어지던 물줄기는 얼마 지나지 않아 그쳤고, 형은 그 물을 한 모금 마셨다. 그리고 손등으로 입을 닦더니 내게 물병을 내밀었다. 물병 옆에는 어디서 나왔는지 모를 물방울 하나가 흐르고 있었다. 나는 그대로 물병을 받아들어 물 한 모금을 마셨다. 물이 달았다.

◆

그래 이제 알 거다. 난 게이다. 정말 확실하다. 난 남자이고 같은 남자에게 사랑을 느낀다.

처음 남자에게 좋아하는 감정을 가지게 된 건 아마

초등학교 5학년 때였을 거다.

초등학교 때, 나와 같이 축구 동아리를 하던 이현민이라는 애가 있었다. 자만하는 것처럼 보이겠지만 그 애와 나는 흔히 말하는 축구부 에이스였다. 나랑 현민이가 같은 팀이 되기라도 한다면 그 날의 승리는 언제나 우리 것이었기 때문이었다. 경기가 클라이맥스에 오를 때면 항상 우리가 활약했다. 현민이와 내가 같이 현란한 패스를 주고받고 결국엔 골을 넣어 이기는 그런 스포츠 영화 같은 모습이 초등학교 운동장에서 벌어지곤 했다. 그리고 한 마디 덧붙이자면 골을 넣는 쪽은 주로 현민이였다.

경기가 끝난 뒤, 사람들은 골을 넣은 현민이를 중심으로 둘러싸고 환호했다. 그 영광을 혼자서 즐길 수도 있었겠지만, 자신의 영광을 나눌 줄 알았던 착한 현민이는 같이 활약했던 나와 더 나아가 자신의 팀 모두에게 박수를 돌려주었다. 그리고 현민이는 가장 옆에서 자신 못지않게 활약했던 내 손을 잡고는 환호성을 질렀다.

현민이의 얼굴에는 투명한 땀방울들이 맺혀 있었고, 달콤쌉살한 냄새가 나고 있었다. 현민이의 축축한 손에선 방금 경기와도 같은 뜨거운 열기가 느껴졌다.

내 손에서도 나고 있는 열기와 현민이의 손의 열기가 합쳐지면 알 수 없는 간질거림이 생겨나 손끝을 타고 몸으로 올라왔다.

그 느낌은 한동안 어린 시절의 나를 밤마다 괴롭혀왔다. 배 안쪽을 살살 긁는 것과 같은 그 느낌이 무엇인지 알 길 없었던 나는 매일 밤 그걸 느꼈고 또 밤새 궁리하였다.

이젠 안다. 그것이 사랑이란 걸. 하지만 어린 나는 사랑의 ㅅ자도 몰랐다.

결국 나는 현민이 옆에 있을 때마다 심장이 쿵쾅대고 손끝이 간지러웠던 건 축구 경기가 너무 즐거웠기 때문이고, 축구를 더 하고 싶다는 마음 때문에 그랬던 것이라고 결론 내리고 말았다.

하지만 얼마 지나지 않아 난 다른 사람들과 하는 축구 경기에선 그런 느낌이 들지 않는다는 걸 깨닫고 말았다. 심지어 내가 골을 넣었을 때도 말이다.

그리고 처음으로 생각하게 되었다. 이것이 사랑인가 하고. 이 느낌이 바로 교과서에 나오는 초등학교 고학년쯤 되면 느끼게 되는 이성적 사랑일지.

인터넷은 누군갈 좋아하게 되면 그 사람을 볼 때마다 심장이 뛰고, 계속 생각나고, 같이 있으면 즐겁다고 말하고 있었다. 현민이에 대입해 보면 어느 정도는 맞는 것 같기도 했지만, 솔직히 그 정도는 아니었다. 심장이 많이 뛰지도 않았고, 자기 전에 잠깐 생각나는 정도였다.

그리고 그게 사랑이 아니라고 생각했던 가장 결정적인 요인은 나랑 현민이 둘 다 남자였다는 것이다. 초등학교 5학년의 난 남자끼리 좋아하는 건 절대 불가능하다고 믿고 있었다. 게이에 대해서는 당연히 들어본 적도 없고 말이다.

결국 최종적으로 내린 결론은 동경 이었다. 축구를 잘하는 현민이가 부러워서 그랬던 것이라고 나 나름대로의 결론을 내렸다. 5학년 때까진 그랬다.

하지만 6학년 때, 별로 친하지 않았던 남자 짝꿍에게서 현민이에게 느꼈던 감정을 똑같이 느꼈을 때, 난 깨달아버리고 말았다. 얼마 전에 인터넷에서 본 게이라는 존재가 바로 나라는 것을.

지금 한성이형을 좋아하기 전까지 난 꽤나 많은 남자들에게 호감을 느끼곤 했다. 하지만 호감의 개수와는 반비례하게 난 그 호감을 누구에게도 털어놓지 않았다. 아니 털어놓지 못했다.

처음부터 남자를 향한 호감이 흔한 것은 아니라는 걸 알고 있었다. 하지만 그때는 그 사실만을 알았을 뿐, 그게 세상을 살아갈 때 큰 문제가 된다는 것은 알지 못했다.

난 어릴 때부터 기독교인인 엄마를 따라 교회를 다니곤 했다. 지금은 교회를 다니지 않지만 어린 시절의 나는 정말 신실한 교인이었다. 저 멀리에 계시는 하느님이 언제 어디서나 날 지켜보면서 죄를 저지르는지, 믿음은 잘 가지고 있는지 항상 확인한다고 믿었다. 그리고 믿음과 회개가 구원을 준다는 것도 함께 말이다. 그래서 그런 믿음과 함께 목사의 말씀을 듣는 건 그때의 나의 큰 즐거움 중 하나였다. 하지만 어느 날 이후로부터 난 더 이상 교회에 나올 수 없게 되었다.

그때는 내가 남자를 좋아한다는 사실을 안지 얼마 되지 않았을 때였다. 그날은 여느 때와 다름없는 일요일이었고, 나는 엄마와 함께 교회로 향했다. 그리고 엄마와 헤어져 교회 초등부로 들어갔고, 평소와 같이 단상 앞에 서 계신 목사님을 따라 찬양과 기도를 하며 말씀을 들을 준비를 했다.

그날 말씀의 주제는 동성애의 죄악성이었다.

목사는 하느님이 허용해주는 사랑과 허용해주지 않는 사랑이 나뉘어져 있다고 말했다. 아이를 만드는 남자와 여자와의 사랑이 진정한 사랑이고, 그에 반하는 동성애는 사랑이 아닌 탐욕만을 바라는 악마같이 더러운 행위라고 말했다. 동성애는 하나님이 만든 세상의 법칙을 위반하는 나쁜 죄악이었다.

정말 인상이 깊었던 예배였다. 그 예배는 내게 새로운 세상을 열어 주었다. 행복과 안정의 시대를 넘어서 고통과 도피가 가득한 세상을 만나게 해 주었다.

그날의 예배는 나를 심판하는 지옥과도 마찬가지였다. 목사님은 나를 위해 일부러 그런 예배를 준비하신 것이었다. 나쁜 이단인 성빈이를 심판하기 위해. 나는 이단이었고 하늘에서 떨어진 천사였으며 살아있는 죄악이었기 때문에.

매주 착실하게 교회를 다니고 기도를 열심히 했고 성경도 열심히 읽었다. 하지만 그 노력들은 날 배신했고 날 한순간에 전부 무너뜨려버리고 말았다. 난 목사님 앞에서 도저히 고개를 들 수 없었고, 조용히 자리를 떠날 수밖에 없었다.

집에 가서 처음으로 동성애에 대해 검색을 해 보았다. 교회에서 말했던 그런 부정적인 내용이 정말 사실일지 증명하고 싶었던 것일까. 아니면 진짜 진실을 알고 싶었던 것일까.

검색 알고리즘 가장 위에 올라와있는 퀴어 퍼레이드 관련 유튜브 영상을 클릭했고, 댓글창을 열어 보았다. 하얀 댓글창 아래에 적혀있는 수백 개의 검은 댓글들은 작은 내 손을 점점 떨려오게 했다.

↳ 니들끼리 물고 빨고 하는 거 존중해줘야 함? 역겹게 생각하는 사람도 존중해 주길

↳ 나라가 미쳐 돌아간다.

↳ 당신은 하나님의 자녀입니다. 죄악에서 눈을 뜨시옵소서.

↳ 내 아들딸이 동성애자면 난 호적에서 파버린다.

글자들 위에 물을 부은 것 같이 눈앞은 점점 흐려져 갔고 머리가 깨질 듯이 아파왔다. 댓글들은 하나같이 동성애를 인정하지 않았고 세상 밖으로 추방하기를 간절히 바라고 있었다.

그 뒤 난 이렇게 결론을 내렸다.
많은 사람들은 성소수자를 혐오한다. 내가 성소수자인 것을 사람들이 알게 되면 모두가 나를 혐오하게 될 것이고 세상 밖으로 추방시킬 것이었다.

그 뒤 난 내가 게이라는 사실을 무엇보다도 우선적으로 숨겼다. 사실 정말 '정상'으로 돌아가고 싶은 마음이 컸다. 목사님은 죄를 지어도 진심으로 회개하면 용서받을 수 있다고 말하였다.

더 이상 남자를 좋아하지 않기 위해 난 노력했다. 친구들에게는 여자를 좋아하는 척 떠벌리고 다니고, 여자애들과 억지로 연애도 하였다.

하지만 여자애들과 사귀는 것은 벌레와 사귀는 것 같이 더럽고 불쾌했고, 좋아했던 애를 볼 때마다 느끼는 떨림에는 절망적이게도 거역할 수 없었다.

결국 난 교회로 뛰어가 무릎을 꿇은 채로 회개하지 않았다. 하나님께 아무리 잘못을 빌어도 이성애자가 될 수 없을 것 같았다.

그 뒤 중학교에서 난 또 다시 그 떨림을 느끼게 되었고, 결국 인정해버렸다. 난 게이이고 죽을 때까지 그 사실을 숨겨야 하는 운명인 것을.

◆

"형 올해에도 드럼레슨 해?"

드럼 연습을 하러 가는 한성이형을 따라가며 물었다.

"아마 할 듯."

그리고 형은 손에 들고 있는 드럼스틱을 내 쪽으로 내밀었다. 그리고 씩 웃으며 말했다.

"너 드럼 한번 배워볼래?"

"어 당연하지. 마침 얘기하려 했었거든. 통했네?"

"신청 기간 되면 바로 신청하셈. 내가 바로 데려갈게."

그리고 형은 밴드실 안으로 들어갔다. 나는 다른 용건이 있는 척 빈 동아리실 안으로 들어갔다.

내 입에는 찢어질 듯이 커다란 미소가 피어났다. 형이 먼저 내게 드럼 레슨을 제안하다니, 이게 무슨 횡재인가. 이제 한성이형과 단 둘이 있을 수 있는 시간이 생기게 되는 거다. 하지만 그 무엇보다 가장 행복했던 것은 형이 내게 먼저 레슨을 제안했다는 것이었다. 내게 형이 특별한 사람인 것처럼 형에게도 내가 특별한 사람인 것이다. 나는 긴 복도를 활주로 삼아

하늘 위로 뛰어올랐다.

시간이 지나 한성이형에게 레슨을 받는 시간이 찾아왔다. 난 날아갈 것 같은 기분으로 가방을 들쳐 맸다. 그리고 책상 서랍에서 형이 좋아하는 체리 맛 사탕을 꺼내들었다. 형은 단 것보단 상큼한 것을 좋아하는 사람이어서 과일 맛 간식들을 좋아한다. 사탕을 받아들고 좋아할 형의 모습이 벌써부터 머릿속에 그려졌다. 난 사탕을 주머니 안쪽에 찔러 넣고 밴드실로 향하는 발걸음을 옮겼다.

하교 시간은 정말 시끄럽다. 다들 집에 간다고 난리법석이다. 집에 가봤자 얼마나 좋다고 이러는지 모르겠다. 정말 바보 같았다. 그래도 별로 상관없다. 집에 가는 것보다 몇 배는 즐거운 일이 나를 기다리고 있으니.

4층 복도에는 한성이형의 드럼소리가 은은하게 울리고 있었다. 그 울림이 조금씩 커질 때마다 내 심장박동도 함께 커져갔다. 그 떨림이 너무 거세어서 발을 주체할 수 없었다. 난 잔뜩 뛰는 심장을 붙잡고 밴드실을 향해 달려갔다.

"이성빈 왔냐?"

약간 가쁜 숨을 내쉬는 내 얼굴을 보며 한성이형이 말했다. 난 한성이형 옆에 자연스레 가 앉았다.

"형 오늘 점심에 레슨 했다매. 어땠어?"

"아니, 올해는 입시 때문에 바쁘니까 한 명만 받겠다고 했는데 쌤이 자꾸 두 명은 맡으라고 하는 거야. 그래서 솔직히 잘 해줬는지 모르겠어."

한성이형은 의자 위에 드럼스틱을 내려놓으며 한숨을 쉬었다.

"유은이 레슨 해 준거 맞지? 유은이가 형 레슨 재미있었대."

그러자 형은 안도의 한숨을 내쉬었다.

"그래? 그렇게 생각했다면 다행이네. 그나저나 너 유은이 알아?"

"응. 내 짝꿍이야. 우리 진짜 친하니까 유은이한테 잘해줘.

그리고 난 한성이형의 어깨를 툭 쳤다. 빳빳한 교복 아래로 형의 듬직한 어깨가 느껴졌다.

형과 이런 소소한 대화를 나누는 것은 어두운 내 하루 속 유일한 빛이었다.

빛을 보고 있을 때면 정말 행복했지만 한편으론 그 빛을 가리는 그림자가 나타날까봐 두려웠다.

형은 나하고만 레슨을 하는 것이 아니었다. 형 앞에서는 아무것도 아니라는 듯이 넘겼지만 사실 좀 걱정됐다. 형이 이성애자고 유은이도 이성애자라면 꽤나 큰 문제가 그 둘 사이에서 싹 틀수도 있다. 형과 유은이 사이에서 어떤 꽃이 자라나 버릴 수도 있다. 그 꽃이 너무 크게 자라 내 빛을 가려버릴까 봐 불안했다.

하지만 난 곧바로 고개를 저었다. 한성이형은 그럴 사람이 아니었다. 형은 타인의 마음을 짓밟는 짓은 하지 않는다. 형에게 나는 특별한 사람이었다. 그러니 형은 언제나 내 곁에 있을 것이었다.

레슨이 끝나고 주머니 속에서 계속 날 찌르던 막대 사탕을 꺼내 형에게 건넸다.

"여기 수고비. 원랜 선불로 내려 했는데, 형이 없어서 이제야 준다."

형은 사탕을 받아 들고는 내가 생각했던 그대로 얼굴을 밝히며 웃었다.

"와 고맙다. 내가 이거 좋아하는 거 어떻게 알았냐? 역시 이성빈, 고맙다."

난 형을 향해 거울 앞에서 수백 번은 연습했던 밝은 미소를 지었다. 그리고 나를 따라서 지을 형의 웃음을 기다렸다.

하지만 형은 웃지 않았다.

"먼저 들어가. 나는 여기서 드럼 마자 치다 갈게. 오늘 수고했어."

난 가만히 고개를 끄덕이며 천천히 뒤로 돌았다.

형은 좋은 사람이어서 자기를 위해 무언가를 해 주

는 사람들에게는 밝은 미소로 감사를 표하며 웃어 준다. 그리고 난 그런 형의 마음에 들기 위해 형에게 정말 열심히 다가갔다. 그 덕에 형과 친해질 수 있었지만 언제나 거기까지였다.

형은 나와 친했고 나에게 아주 잘 대해주었지만 그 이상은 없었다. 하지만 난 그걸 원하지 않았다. 모두에게 친절하고, 자기 일에 열심인 멋진 모습 말고 다른 모습을 원했다. 형과 몸을 맞대고 형도 결국 내가 알던 모습과는 다른 하나의 인간일 뿐임을 알아차리고 싶었다.

난 밴드실 문 앞에 가만히 서서 형을 바라보았다. 형은 드럼을 치다 말고 날 보더니 의아한 듯이 고개를 끄덕였다. 나는 자연스레 웃으며 한성이형에게 물었다.

"형에게 나는 뭐야?"

"낯 간지럽게 그게 무슨 질문이냐?"

형은 킥킥대며 웃었다. 하지만 곧 진지해지더니 턱을 괴고 눈썹을 찌푸렸다. 그리고 얼마 지나지 않아 드럼 스틱을 내려놓고는 대답했다.

"좋은 친구지. 그리고 내가 제일 좋아하는 후배지."

나는 나를 보며 장난스럽게 웃고 있는 한성이형에게 다시 미소를 지어 보였다. 그리고 난 손을 흔들며 밴드실 밖으로 나갔다. 닫히는 밴드실 문 사이로 한성이

형의 얼굴이 흐릿하게 보였다.

돌아가는 복도는 들어올 때랑은 다르게 고요했다. 잠시 꿈을 꾸었던 듯 했다. 난 바닥으로 고개를 숙이고 눈을 감고 걸었다. 사람들이 빠진 학교의 고요함을 느끼며 계속 걸었다.

얼마 지나지 않아 앞에 무언가 있는 것 같아 눈을 떴다. 내 앞에는 차갑고 딱딱한 회색빛의 벽이 있었다.

푸른빛으로 가득한 반 안에 혼자 앉았다. 난 책상 서랍에서 종이 한 장을 꺼냈다. 그리고 필통에서 펜 한 자루를 꺼냈다. 종이는 그 누구의 흔적 없이 말끔한 흰색이었다. 이제부터 난 이 안을 나로 더럽힐 것이다.

한성이형
밴드실이 뭐가 좋다고 이렇게 심장이 뛸까?
답답하고 시끄럽고 더운데 말이야.
형이 없던 빈 밴드실에는 여전히 형 냄새가 남아 있더라.

형은 나를 어떻게 생각하는지 다시 묻고 싶어
아까 했던 말이 정말 진심인 거야?

나는 형이 필요한데, 형은 나 없이도 잘 살 수 있는
거야?
형은 나를 필요로 하지 않는 거야?
친한 후배 그 이상은 아닌 거냐고 묻고 싶어.
형이 나를 필요로 해줄 순 없는 거야?

형이 드럼이라면 나는 드럼스틱이 되게 해 줘.
형이 푸딩이면 나는 숟가락이 되게 해 줘.
형이 옷이라면 나는 향수가 되게 해줘.

난 형이 있는 모든 곳을 따라갈 준비가 됐는데,
형은 나를 따라가 줄 수 있을까?
나는 형에게 내 모든 걸 보여줄 수 있는데,
형은 그럴 수 있어?
하지만 이내 그럴 수 없다는 것을 깨닫고 그 부분을
지웠다. 형과 함께 있기 위해서라면 내 모든 걸 보여
주어서는 안 되었다.

헛된 소리를 했네.
내 꿈은 꿈일 수밖에 없다는 걸 잠시 잊고 있었어.
눈을 감고 있어서 우리 사이를 막고 있는 큰 벽을 보
지 못했어.

우리 둘 다 남자잖아.
흑과 백. 음과 양이 아닌 우린
흑과 흑이잖아.

형의 모든 건 될 수 없어도
내 모든 건 형이니까
그냥 지금처럼 형 앞에서 웃고 있을게.
계속 지금처럼 친한 형과 동생으로 영원히.
그러는 것도 나는 좋은 것 같아.
한성이형 사랑해.

"야 이성빈! 뭐하냐?"
 글에 마침표를 찍은 순간, 뒤에서 나를 부르는 혁진이의 목소리가 들렸다. 난 황급히 종이를 책상 서랍 안으로 쑤셔 넣었다. 그리고는 혁진이를 향해 고개를 돌렸다. 혁진이는 반 뒷문에 기대서 날 보고 있었다.
"미친 놀랐잖아."
"공부하고 있었냐? 축구하러 가자."
 나는 마치 아무 일도 없었던 것처럼 가방을 챙겨 혁진이를 따라 교실 밖으로 나갔다. 창 밖에서 들어오는 빛 한줄기만이 성령의 불빛처럼 내 책상을 비추고 있을 뿐이었다.

지워지지 않는 것들

봄이 힘껏 피워낸 생명의 가지들은 어느새 무성해진 채로 여름을 맞이했다. 바로 잊지 못하는 그 여름의 시작이었다.

태양은 온기가 아닌 열기를 뿜어내기 시작했고 그 뜨거움을 알아챈 풀벌레들이 아파트 밑에서 윙윙대며 울어댔다.

비 내린 직후의 시원하면서도 약간 습한 바람이 내 방 창문으로 흘러들어오고 있었다. 내 머리맡에 놓인 휴대폰에서는 물을 먹은 듯이 먹먹한 아이돌 노래가 어렴풋이 들려오고 있었다. 내 손목 언저리를 건드리는 바람은 왠지 모를 익숙한 향기를 가지고 있었다. 몇 년 전에 옆에 있던 바람이 추운 겨울 동안 얼어 있다 다시 내게 돌아온 것일까.

난 핸드폰 너머에 있는 혜은이에게 말을 걸었다.

"그나저나 민서 기억나?"

핸드폰 너머로 먹먹하게 들려오던 노래가 꺼지더니 혜은이가 대답했다.

"걔가 왜?"

혜은이의 목소리는 활기찼던 아까와는 다르게 차분해져 있었다.

"걔가 오늘 나한테 연락 왔어.

어렴풋하다, 그것이 아마 이 시기에 가장 어울리는 단어일 것이다. 우리 모두에게는 다 어렴풋한 마음을 내어 주던 사람이 있었을 것이다. 혜은이도 그러하였다.

초등학교 6학년 때, 우리 반에 민서라는 아이가 있었다. 그 애는 반에 한 명씩은 있을 법한 운동도 공부도 잘하고 사교성마저 좋은 팔방미인 같은 아이였다. 내 기억 속의 민서는 성격도 시원하고 뒤끝도 없었다. 그래서 나나 대부분의 아이들은 민서를 좋아하고 칭찬했다.

하지만 혜은이는 좀 과했다.

혜은이는 틈만 나면 민서 이야기를 꺼냈다. 민서가 자기 얼굴을 그려줬다느니, 그 애와 매일 연락한다던지, 심지어 그 애의 개인정보까지도. 혜은이는 자기 얘기는 해도 남 얘기를 하는 애는 아니었는데 민서에게만은 이상한 오지랖을 가지고 있었다.

또 다른 날은 체육시간이었다. 그 날은 자유롭게 아무 활동이나 하는 날이어서 남자애들은 축구를 했고, 여자애들은 피구를 하거나 스탠드 밑에 모여서 수다를 떨었다. 아마 나는 피구를 했을 거고 혜은이는 앉아서 쉬었을 거다.

피구 한 판이 끝나고 잠깐 쉬러 혜은이를 찾고 있었는데, 사람이 별로 없는 스탠드의 구석진 곳에 앉아있는 혜은이와 민서가 눈에 들어왔다.

그 둘은 서로 마주보며 웃고 떠들고 있었다. 난 같이 껴서 놀기 위해 그 애들에게로 다가갔다. 그런데 무언가가 이상했다.

그 둘은 완벽하게 붙어 있었다. 그 둘 사이에는 나나 다른 사람이 들어갈 자리가 없었다. 소외감 같은 것이 아니었다. 그냥 그 둘만 있는 모습이 완벽한 것 같았고 가장 자연스럽다고 느껴졌다. 뭐가 자연스러운 건지 구분할 능력은 없었지만 그냥 느낌이 그러했다.

나는 저 멀리서 세수를 하며 계속 그 둘을 지켜보았다. 민서에 비해 혜은이가 유난히 이상했다. 혜은이의 얼굴은 유난히 빨갰다. 날씨가 그렇게 더운 것도 아니었고 체육활동을 했던 것도 아니었는데. 혜은이는 바닥에 굴러다니는 빨간 피구 공 같은 얼굴로 민서를 보면서 실없이 웃기만 했다.

그리고 또 다른 날이었다. 학교가 끝나고 혜은이와 놀이터에서 그네를 타고 있었을 때였다. 삐걱거리는 소리를 내며 앞뒤로 흔들리던 그네가 잠시 멈추더니 말했다.

"사실 나 민서 좋아한다?"

언젠간 나올 줄 알았던 말이었다. 눈치가 별로 없는 나임에도 대충 짐작 하고 있을 정도로 혜은이는 감정을 숨길 줄 모르는 아이였다. 어떤 일이 생길 줄 알고 피부 밑으로 숨기지도 못하는 웃음을 사람들 앞에서 보여주고 있었는지. 그러니까 그런 특별한 고백을 할 수 있었던 거다.

민서는 여자고 혜은이도 여자다. 하지만 혜은이는 그런 건 신경 쓰지 않았던 모양인 것 같았다. 솔직히 난 그 고백에 놀라긴 했다. 하지만 얼마 지나지 않아 그 감정의 진정한 무게를 느낄 수 있었다.

다른 여자애들이 좋아하는 남자애에 대해 말할 때나 혜은이가 민서에 대해 말할 때나 큰 차이가 없었다. 그 커다란 무게는 혜은이와 민서 둘의 특이점을 이기고도 남아 있었다.

그날 저녁 혜은이는 내게 고맙다는 문자를 보냈다. 자기도 내게 민서를 좋아한다고 말하는 게 많이 떨렸다고 했다. 아직 딱딱하고 걸려 넘어질 것들이 많은 세상에서 이런 말을 하는 건 큰 도전이고, 그 속에서 내가 자기 손을 뿌리치지 않았다며 고마워했다.

그때는 그 말이 이해가 가지 않았다. 하지만 이제는 그 뜻을 뼈저리게 깨달을 수 있다. 어떤 일이 있어도 내 손을 놓지 않는 사람을 만난다는 건 정말 큰 행운이니.

"이번 주 토요일에 퀴어 퍼레이드 열린다는데 같이 갈래?"

혜은이가 신이 난 목소리로 말했다. 예전에 가봤는데 엄청 재미있었다고 이번에는 꼭 나랑 같이 가고 싶다며 나를 재촉했다.

아직 한 번도 그렇게 큰 축제를 가본 적이 없어서 조금 불안하긴 했다. 그래도 혜은이랑 같이 가니 괜찮을 거라며 스스로를 다독였다.

"그래 같이 가자!"

◆

어느새 시간은 흘러 여름방학이 찾아왔다.

아침 8시, 알람이 울리는 소리에 눈을 번쩍 뜨며 잠에서 깼다. 자고로 토요일에는 여유롭게 일어나 일주

일의 피로를 풀어야 하는 법인데, 오늘은 그럴 수 없었다. 겨우 엊그제 방학을 맞았는데 오늘 이렇게 움직여 버리니 등 뒤에 붙은 일주일의 불순물들이 떨어지지 않았다.

그래도 힘을 내야 한다. 오늘은 혜은이와 함께 퀴어 퍼레이드에 가는 날이니.

7월 1일도 7월이라고 하늘은 여름이 왔다며 이리 저리 뜨거운 바람을 날리고 있었다. 아파트 바로 앞의 정류장으로 걸어가는 건데도 등 뒤에는 땀이 송골송골 맺혀왔다.

버스정류장에 앉자 여름의 열기를 가득 머금은 바람이 불어왔다. 길거리의 나무들도 바람을 따라 푸르른 가지들을 연신 흔들었다.

기다린 지 채 5분도 되지 않아 버스가 도착했고, 나는 서둘러 이 여름의 생명수와도 같은 버스에 올라탔다. 버스 안에 앉아 시원한 에어컨 바람을 맞으며 더위를 식혔다. 창밖을 지나다니는 사람들 모두 더운지 연신 손부채질을 해대고 있었다.

아무리 더워도 여름 그 자체는 좋은 것이었다. 에어컨 밑에 앉아 있어서 그렇게 느끼는 것일지는 몰라도.

그때 혜은이에게서 전화가 왔다.

"유은아! 진짜 미안해. 오늘 갑자기 할머니가 돌아가

셔서 퀴퍼 못갈 거 같아. 정말 미안해."

그러면서 연신 내게 사과했다. 혜은이는 급했나본지 입에서 가쁜 숨을 연신 내쉬고 있었다. 나는 애써 웃으면서 괜찮다고 말하고는 전화를 끊었다.

혜은이한테는 웃어 보이며 괜찮다고 말했지만 사실은 머리를 망치로 한 대 친 것 마냥 당황스러웠다. 혼자 퀴퍼에서 할 수 있는 게 있기는 할지 모르겠고 낯선 사람들로 가득한 곳에 혼자 있는 것도 엄청난 부담이었다. 지금이라도 집에 돌아가는 게 더 나은 선택지일지도 모른다.

나는 서둘러 자리 위쪽에 붙어있는 다음 역을 알려주는 TV를 보았다. 왜 이럴 때만 교통체증이 없는지, 다음 역은 벌써 지하철역 입구였다.

얼마 지나지 않아 버스는 끼익 소리를 내며 지하철역 앞에서 멈췄다. 결국 난 떠밀리듯이 지하철역 앞에서 내렸다.

이제 정말로 결정을 내려야 할 때였다. 하지만 다시 집으로 돌아가기엔 내가 너무 멀리 와버린 것 같았다. 다시 집으로 돌아가면 애써 꾸민 게 너무 아까워지기도 했다.

어쩌면 혼자 가서 조금만 구경하다 오는 건 괜찮을지도 모르겠다. 나 혼자 아무것도 못하다 와도 어쩌겠는가, 이미 지하철 개찰구를 지나고 말았는데.

대략 2시간 정도 지하철을 타고 이동해야 했다. 그 긴 시간들을 버티고 지하철에서 내리자마자 사우나처럼 뜨거운 열기가 온 몸을 덮쳐왔다. 온 몸에서 땀이 흐르기 시작했다. 난 땀 때문에 끈적거려진 발을 끌며 역을 나가는 계단을 올랐다.

역 밖은 더했다. 뜨거운 습기와 함께 바늘처럼 따가운 햇살이 살갗을 찔렀다. 여름이 좋다고 했던 말 취소다. 역시 여름은 괴로운 거다.

아무것도 없이 이 더위를 버틸 순 없을 것 같아 역 출구 바로 앞에 있는 편의점에서 얼음물 한 병을 샀다. 물병에 맺혀있는 물방울들이 내 손을 타고 흘렀다. 서둘러 물 한 모금을 들이마셨고, 차가운 기운이 목 너머로 퍼지니 그나마 살 것 같았다.

퀴어축제가 열리는 을지로의 넓은 도로 한편에는 경찰버스와 함께 경찰들이 여럿 서 있었다. 축제장에 가까워질수록 화려한 옷과 함께 무지개 부채를 들고 다니는 사람들이 길가에 많이 보이기 시작했고, 커다란 음악소리도 함께 들려오기 시작했다.

축제장에는 날 압도할 정도로 사람이 많았다. 부스들은 끝이 보이지 않게 도로를 줄줄이 메우고 있었고 사람들은 그 앞을 빼곡히 채우고 있었다.

입을 다물 수 없었다. 예상보다 사람이 너무 많았다.

도로는 물론이고 부스가 없는 도로 뒤쪽 인도에조차 그늘을 찾는 사람들이 겹겹이 돗자리를 깔고 앉아있었다.

아무리 크더라도 도로는 도로이다. 차 다섯 대 정도만 붙여 놓아도 꽉 차는 정도였다. 그런 이곳에 오후가 되면 더 많은 사람이 몰려올 거라고 생각하니 눈앞이 핑 돌았다. 그래도 왔으니 피할 수는 없는 노릇이었다. 난 각오를 다지고 거대한 무지개 깃발이 펄럭이는 축제장 입구로 발을 디뎠다.

막상 들어와 보니 뭘 해야 할지 감이 잡히지 않았다. 부스 구경이라도 하기 위해 부스 앞으로 다가갔지만 그 앞의 많은 사람들을 파고들 용기가 나지 않았다. 나머지 부스들도 크게 다른 것 같진 않았다.

그래서 일단 부스를 둘러보는 건 포기하고 나무그늘 밑으로 앉았다. 눈앞의 사람들은 전부 땀 흘리며 연신 부채질을 하고 있었다. 하지만 다들 웃고 있었다. 하늘은 구름 한 점 없이 파랬고 사람이고 부스고 다 무지개 색 이었다. 다들 이 더위가 행복한가 보다.

그때, 사람들 너머로 익숙한 얼굴이 보였다. 큰 키에다 작고 반듯한 얼굴, 거기다 작은 귀걸이를 낀 사람이었다.

그건 성빈이었다.

나는 눈을 비비고 성빈이 같아 보이는 사람을 더 자세히 보았다. 내가 아는 성빈이는 퀴퍼 같은 곳에 올 사람이 아니었다. 하지만 저 얼굴은 틀림없이 성빈이였다.

"성빈아?"

내가 이름을 부르자 그 사람은 급히 내 쪽으로 고개를 돌렸다.

"유은아?"

정말 성빈이었다. 내가 아는 그 이성빈이 퀴퍼에 와 있는 거였다. 성빈이는 무지개색으로 화려한 다른 사람들과는 다르게 흰 티셔츠에 회색 반바지를 입고 있었고 검은 모자를 쓰고 있었다. 성빈이 혼자만 무채색이었다.

난 성빈이에게로 다가갔다. 나와 마주친 성빈이는 당황스럽기라도 한지 왠지 모를 떨떠름한 표정을 짓고 있었다. 하지만 내가 더 가까이 오자 표정을 고치고는 항상 지었던 밝은 미소와 함께 내게 다가왔다.

여기서 성빈이를 만나다니, 항상 상황은 내가 생각지도 못한 방향으로 굴러가는 것 같다.

"너 혼자 왔어?"

"응, 너는?"

성빈이의 주위에는 나와 마찬가지로 사람이 없었다.

"나도 혼자. 혹시 너 괜찮으면 같이 다닐래?"

마침 서로 일행도 없으니 같이 다니면 좋을 것 같았다.

그나저나 내가 아는 성빈이는 퀴퍼와 전혀 연관이 없는 사람이었다. 주변 친구들은 게이를 혐오하는 모습을 보여주었고, 성빈이는 동조하지는 않았지만 제지하지도 않았다. 이런 쪽에는 전혀 관심도 없어 보였다.

난 성빈이에게 다가가 조심스레 물었다.

"성빈아 혹시 퀴퍼는 어떻게 오게 된 거야?"

성빈이는 부스들을 이리저리 둘러보면서 대답했다.

"그냥 궁금하잖아. 어! 저기서 페이스페인팅 한다."

질문에 제대로 대답도 하기 전에 성빈이는 저 앞의 부스로 빠르게 뛰어가 버리고 말았다. 보통은 내 질문에 열심히 대답해주던 성빈이었는데 오늘은 왜 그러는지 좀 의아했다. 성빈이가 내 질문을 피하는 일은 없었는데 말이다.

이 많은 인파 속에서 잠시라도 떨어져 있으면 서로를 분명 잃어버릴 것이다. 난 급히 성빈이를 따라 뛰어갔다.

성빈이는 페이스페인팅 부스 앞에 진열되어있는 상품들을 구경하고 있었다. 내가 가서 어깨를 건드리자 성빈이는 돌아서서 내게 손을 내밀었다.

"선물이다."

성빈이의 손에는 무지개 가운데 태양이 웃고 있는 모양을 한 캐릭터 키링이 들려 있었다. 그 무지개는 아무 걱정도 고민도 없다는 듯이 해맑게 웃고 있었다.

"뭐야, 이거 줄려고 먼저 가버린 거였어?"

내가 키링을 받아들자 성빈이는 씩 웃고는 페이스페인팅을 받는 부스 천막 안쪽으로 들어갔다.

성빈이를 기다리는 동안 오랜 시간 내 핸드폰 위를 지키고 있던 낡은 키링을 빼내었다. 키링은 프린팅이 잔뜩 벗겨진 채로 갈색으로 바래져 있었다. 키링 위의 이 캐릭터를 처음 알아준 건 성빈이었다. 너를 알아준 사람의 것으로 너는 바뀌는구나, 나는 성빈이가 사준 새 키링을 핸드폰 위에 바꾸어 걸었다.

키링을 다 끼우고 나니 페이스페인팅을 끝낸 성빈이가 천막 안쪽에서 걸어 나왔다. 아스팔트에서 나오는 뜨거운 열기 때문에 약간 달아올라 있는 성빈이의 볼 옆에는 조그마한 구름이 그려져 있었다. 나와 눈이 마주치자 성빈이는 부끄러운 듯이 머리를 매만지며 웃었다.

학교 바깥에서 봐서 그런가, 볼에 구름을 그린 채로 웃는 성빈이가 마치 다른 사람 같아 보였다. 부정적인 느낌이 아니라 긍정적으로. 성빈이의 새로운 면을 알게 된 것 같아 기분이 오묘하게도 좋았다.

성빈이가 퀴어 관련 퀴즈를 맞히는 부스를 체험하는

걸 기다리고 있었을 때, 옆 부스에서 팔고 있는 팔찌 하나가 눈에 들어왔다. 무지개색의 투명한 비즈들을 겹겹이 끼워 만든 팔찌였다.

성빈이가 키링을 사줬으니 나도 선물 하나 정도는 해주는 게 미덕이다. 성빈이가 퀴즈에 열중해있는 틈을 타 몰래 팔찌를 샀다. 그리고 주머니 깊숙한 곳에 숨겼다.

축제장 전체를 돌면서 참여할 수 있는 부스는 다 참여하고 사고 싶은 것도 다 사니 어느새 정오가 되어 있었다. 오후가 되면서 더 더워진 날씨만큼 더 많은 사람들이 축제장에 와 있었다. 사람들은 마치 밥알처럼 빽빽하게 비좁은 축제장을 메우고 있었다. 가뜩이나 더운 날씨에 사람들의 열기까지 더해지니 금방이라도 쓰러질 것만 같았다. 난 잠시 길거리의 나무에 기대어 더운 숨을 내쉬었다.

"야, 괜찮냐?"

난 괜찮다며 애써 고개를 끄덕였다.

"혹시 너 배 안고파? 난 고픈데, 밥 먹으러 갈래?"

성빈이도 많이 더웠는지 모자를 벗고 연신 부채질을 해대고 있었다. 난 성빈이의 제안에 대답 대신 강하게 고개를 끄덕였다.

우린 재빠르게 행사장을 빠져나와 그 옆의 햄버거 가게로 들어갔다. 메뉴를 시킨 뒤, 에어컨과 가장 가까워 보이는 자리로 가 앉았다.

"퀴퍼에 이렇게 사람이 많을 줄은 몰랐다."

난 가게 밖으로 이어져 있는 축제장을 바라보았다. 천막 사이로 얼핏 보이는 축제장은 빈 공간 없이 사람들로 꽉 채워져 있었다. 성빈이는 아직도 더운지 부채질을 하면서 강하게 고개를 끄덕였다.

"이렇게 많은 사람들이 다 퀴어를 지지한다니. 좀 신기하다."

"그러게."

그리고 우린 잠시 아무 말도 하지 않았다. 세상 어디에서든지 나의 무언가 하나쯤은 숨겨야 한다. 하지만 어떤 공간에서는 그렇게 숨겨왔던 것들을 드러낼 수도 있다.

나와 눈이 마주치자 성빈이는 해맑게 웃었다. 성빈이의 얼굴에는 창문에서 들어오는 햇빛이 비치고 있었다. 방금까지 혐오했던 여름 햇빛이지만, 그 실체는 결국 아름다운 것이었다. 성빈이의 얼굴을 보고 있자니 저절로 미소가 지어지는 듯했다.

"근데 생각보다 반대세력이 안 보여서 다행이다."

그 말에 난 다시 창밖을 바라보았다.

솔직히 걱정했다. 인터넷에선 성소수자를 혐오하는 사람들의 모습들을 정말 쉽게 볼 수 있었다. 성소수자와 관련된 영상에서는 모두가 조롱과 비난을 쏟고 있

었고, 퀴어축제에 가서 반대를 외치는 사람들도 심심
찮게 볼 수 있었다.

"반대세력 무서워서 이런 데 어떻게 오겠어."

"그러게, 그러다 아웃팅이라도 당하면,"

난 급히 입을 틀어막았다. 내 정체를 알아챌 여지를
줘버렸다.

성소수자가 아니라면 왜 아웃팅 당할 걱정을 하겠는
가. 성빈이 같이 눈치가 빠른 아이라면 분명 알아챘을
거다. 내가 성소수자라는 것을, 내 비밀을.

심장은 성이 난 듯이 거칠게 뛰기 시작했다. 내 얼굴
이 성빈이 쪽으로 가까워질수록 눈앞은 점점 흔들렸
고 회색이 모든 곳으로 번져갔다. 성빈이는 아무 말이
없었다. 분명히 알아챈 거였다. 나는 조심스레 고개를
들어 성빈이의 얼굴색을 살폈다.

차가운 회색이 아니었다. 성빈이의 얼굴은 평소와 같
은 연노랑 색이었다. 나와 눈이 마주치자 성빈이는 살
짝 미소를 짓더니 물었다.

"그래서? 마저 하려던 말이 뭐야?"

의식하지 못한 건가, 아니면 의식해도 별 상관없는
것일까. 성빈이는 그동안 내가 보았던 성빈이와 같은
얼굴을 하고 있었다. 지루한 수업시간 때 같이 장난치
던 성빈이, 급식시간 때 맛있는 반찬이 나오면 뺏어가
던 성빈이, 눈을 반짝이며 만화 얘기를 하던 성빈이

그대로였다.

아마 내가 너무 긴장했던 걸지도 모르겠다. 그리고
너무 의심했던 것일지도 모르겠다. 애초에 퀴어 축제
를 올 정도면 퀴어에 대한 거부감을 가질 리가 없는
데 말이다. 그리고 좋은 내 친구 성빈이인데.

그와 동시에 마음이 놓였고, 내 입도 편해져버려서
그만 뱉어버리고 말았다.

"사실 나 논바이너리거든. 만약 여기 온 거 누가 알게
되면 아웃팅 당할 수도 있잖아."

그리고 난 급히 입을 막았다. 성빈이는 약간 놀랐는
지 눈을 동그랗게 뜨고 날 보고 있었다.

그리고 이내 약간 무안한 듯이 웃으며 물었다.

"진짜 미안한데, 혹시 논바이너리가 뭐야? 미안해. 이
런 거 뭔지 잘 몰라서."

경멸하지 않았다는 것에 한결 마음을 놓을 수 있었
지만 아직 웃을 수는 없었다. 아직 불쾌해하지 않았
지만 의미를 알고 나서는 모를 일이었다.

대부분의 사람들은 성소수자에 대해 잘 모르는 경우
가 많았다. 주변을 살펴보아도 그랬다. 게이나 레즈비
언 같은 건 알아도 젠더퀴어나 그 외의 지향성들은
모르는 경우가 태반이었다.

아무도 모르는 단어를 가지고 와 그게 자신의 성별

이라며 떠들면 모두들 나를 정신병자라고 욕했다. 모르면서 함부로 떠드는 건 잘못된 일이지만, 왜인지 나는 그런 욕들에 맞서 싸울 수 없었다.

성빈이가 내 정체성의 뜻을 안다면 세상의 다른 사람들이 그랬던 것처럼 말도 안 되는 거라고 욕을 할까봐 걱정이 되었다. 하지만 이 상황에서 그 의미를 대답해주지 않는 것은 더 이상했다.

"내 성별이 남자도 여자도 아니라는 거야."

내 말을 들은 성빈이는 천천히 고개를 끄덕였다.

난 조심스레 성빈이의 눈을 살폈다. 성빈이의 눈에서는 그 어떤 혐오도 느껴지지 않았다. 이제야 마음을 놓을 수 있었다.

그리고 우리 사이에는 정적이 흘렀다. 정확히 말하자면 성빈이가 조용해진 것이었다. 성빈이는 내 눈을 피한 채로 손을 만지작거리며 다리를 떨기 시작했다. 그것이 나를 향한 혐오 때문은 아닌 것 같았다. 성빈이는 나를 보고 있던 게 아니었다. 성빈이는 자기 자신을 보고 있었다. 무언가 숨기는 게 있는 것 같았다. 그 정체가 무엇인지 알 방법은 없었다. 굳이 알아야할 마땅한 이유도 없었다. 그렇기에 나는 그저 기다리는 것을 선택했다.

얼마 뒤, 성빈이는 바닥으로 고개를 떨어뜨리며 입을 열었다.

"나도 사실 게이야."

성빈이는 계속 고개를 숙이고 있었다.

성빈이는 그 순간 내 앞에서 다른 존재가 되었다. 성빈이의 위를 덮고 있던 허물 한 겹이 벗겨졌고, 한 송이의 아름다운 꽃 같았던 이전과는 다른 모습이 비쳤다. 아무리 아름다운 꽃이어도 그 안을 들쳐보면 암술과 수술이 복잡하게 얽혀 있고 꽃가루가 뭉쳐 있는 모습이 드러난다. 마치 그런 모습을 본 듯했다.

그 느낌이 뭔지는 나도 잘 안다. 불과 몇 분 전까지 느끼고 있던 것이니. 그 사람과 나로 만들어진 탑에 물감을 한 바가지 부어버린 것과 같은 상황이고, 그것이 바탕이 되어 탑을 예쁘게 꾸밀지, 탑을 버릴지는 오로지 내 앞의 타인에게 달려 있었다.

과장되었을 수도 있다. 적어도 난 성빈이의 커밍아웃에 별 감정을 느끼지 않으니까. 그리고 지금 이 퀴어 퍼레이드에 와 있는 수많은 사람들처럼 이 사실을 별로 신경 안 쓰는 사람들도 많을 수 있다. 하지만 그렇다고 해서 목 언저리를 조르는 그 긴장감은 어찌 할 수 없는 부분이긴 했다.

난 성빈이를 바라보며 살짝 웃었다.
"퀴어친구 하나 생겼네?"

이제 긴장이 풀렸는지 성빈이는 앉아있던 소파에 몸을 푹 기대었다. 그리고 손으로 얼굴을 감싸며 웃었다. 그리고 나를 바라보며 나지막이 말했다.

"첫 커밍아웃이네."

방금 전까지만 해도 드리워져 있던 먹구름은 어느새 사라져 있었다. 그 대신 비 온 뒤의 하늘같은 맑은 빛깔이 우리 머리 위에 그려져 있었다.

평온했지만 낮게 가라앉아있는 이 분위기를 살리는 게 좋을 것 같았다. 난 감자튀김 하나를 집으며 슬며시 성빈이를 바라보았다. 그리고 웃으면서 말했다.

"그럼 너 혹시 좋아하는 사람 있어?"

그러자 성빈이는 눈을 이리저리 굴리며 당황하더니 말끝을 흐리면서 내 눈을 피해 고개를 돌렸다.

"없어."

하지만 그 얼굴에는 미처 숨기지 못한 미소가 피어 있었다. 그 웃음은 예전에 혜은이가 민서에게 짓고 있던 빨간 웃음을 떠올리게 했다.

밥을 다 먹었음에도 우린 한동안 에어컨 밑에 앉아 이런저런 이야기를 나누었다. 공부에 대한 푸념이나 애니 이야기 같은 평범하고 일상적인 대화였다. 그 자체로도 즐거웠지만, 성빈이가 좋아하는 사람을 알지 못한 건 조금 아쉬웠다.

그러던 중 핸드폰을 슬쩍 보았다. 시간은 2시 50분, 퍼레이드 시작 시간이 훌쩍 넘어 있었다. 난 성빈이에게 시간을 보여주었고, 우린 재빨리 밖으로 뛰어나갔다.

　우리의 구원 같았던 에어컨 바람의 손아귀에서 벗어나니 지긋지긋하게도 뜨거운 태양이 기다렸다는 듯이 우리를 막아섰다.

　우리는 증기같이 깔린 아지랑이 위를 달렸다. 방금 샤워를 하고 나온 것처럼 온몸이 땀으로 젖어갔다. 그런데 왠지 모르게 자꾸 웃음이 나왔다. 태양이 하늘 높이서 우리를 간질이는 것처럼 피식피식 웃으면서 축제장을 향해 달려갔다.

　지긋지긋하게도 더웠던 그때의 날씨와 몸에 달라붙는 습기, 그리고 푸르렀던 나무들과 자꾸만 지어지는 웃음. 아마 그 날들은 평생 잊지 못할 거다.

　그렇게 뛰어 도착한 축제장에는 끝이 보이지 않을 정도로 긴 행렬이 가득 차 있었다. 그 모습은 마치 사람으로 만들어진 거대한 강 같았다. 우린 강을 가로지르는 물고기가 되어 그 사이에 합류했다.

　처음이었다. 그 많은 사람들과 한마음이 되어 함께 걸었던 건.

　축제의 마지막 순서였던 퍼레이드를 마치고 돌아오니 축제장은 제법 한적해져 있었다. 대부분의 사람들은 각자의 집으로 돌아가는 발걸음을 옮기고 있었다. 우리도 돌아가는 사람들을 따라 거대한 무지개 깃발이 걸려있는 축제장 출구로 향했다.

그때 핸드폰에서 문자가 왔다는 알림이 들렸다. 나는 서둘러 주머니에서 핸드폰을 꺼냈다.

↳ 뭐해?

↳ 바빠?

그 문자의 발신인은 한성이었다.

입꼬리가 하늘 위로 솟아올랐다. 역시 여름의 날씨는 정말 최고이다.

난 애써 태연한 척 하며 답장을 보냈다.

아니 무슨 일이야? ↵

봄까지만 해도 우리 사이는 별로 좋지 않았다. 하지만 한성이 담화를 좋아한다는 사실을 알고 난 뒤로 우리 사이는 급격하게 가까워졌다. 담화에서부터 이어진 사소한 대화가 계속되었고, 가끔씩 담화의 무대영상들을 같이 나누어 보기도 했다.

그렇게 한성과 대화를 해 보니 옛날에 생각했던 것과는 다르게 한성도 나름 자기만의 무게를 가지고 있는 사실을 알 수 있었다. 한성은 내 생각만큼 그렇게 무관심한 사람이 아니었다. 약간 딱딱했지만 꽤나 다정했고 털털했다. 난 어느새 그런 한성의 세계에 빠져버리고 말았다.

상대가 채팅을 치고 있다는 것을 보여주는 메신저의 (...)표시는 내 마음을 애태웠다. (...)표시가 나타나고 사라질 때마다 내 심장은 이 축제장에 잔뜩 있는 깃발처럼 이리저리 펄럭였다.

다시 문자의 알림음이 울렸다. 드디어 나타난 한성의 문자는 애태워지던 내 마음을 한순간에 폭죽처럼 터뜨렸다.

↳ 다음 주에 락 페스티벌 같이 갈래? 담화도 오는데.

그 자리에서 방방 뛰며 소리 지를 뻔 했다. 그 문자는 내 손을 거쳐 온몸으로 뻗어나가 거대한 폭발을 일으켰다. 그 파동이 너무 셌던 나머지 하마터면 핸드폰을 떨어뜨릴 뻔 했다.

정말 행복했다. 주위에서 울려 퍼지는 노래도, 식을 줄 모르는 이 날씨도 너무 좋았다. 내 마음은 경쾌한 춤을 추었고, 입꼬리는 숨길 수 없는 모양으로 솟아올랐다.

"뭐 봐?"

성빈이의 한마디에 나는 비눗방울이 터지듯이 순식간에 한성과 나만의 세계에서 깨어났다.

주위를 둘러보았다. 내가 있는 곳은 퀴어퍼레이드였고 옆에는 성빈이가 있었다. 잠시 잊고 있었던 현실은 언제나 내 앞에 있었다.

난 성빈이의 질문에 아무것도 아니라며 고개를 저었다. 성빈이는 고개를 약하게 끄덕이고는 아무 말 없이 턱을 만지작거렸다.

덜컹거리는 지하철 창문 너머로 아름다운 최후를 내뿜으며 어두워지는 하늘을 보았다. 보랏빛 도화지에는 빨간색 파란색 노란색의 구름들이 그려져 있었고 어두운 색이 천천히 번지고 있었다.

내 옆에 앉아있는 성빈이는 지하철 벽에 기대어 자고 있었다. 나도 성빈이를 따라 벽에 머리를 기대고 눈을 감았다.

집으로 돌아가지 않아서 다행이었다. 내가 여기 오지 않았으면 이 노을을 볼 일도 없었을 것이고, 성빈이도 만나지 못했을 것이다. 무료하게 휴대폰만 보면서 지냈을 수도 있을 시간들을 난 찬란한 빛으로 가득 채워냈다.

사람들은 시간이 그 어떤 것보다도 값이 크다고 말한다. 과거에는 그 사실을 깨닫지 못하였지만 이제는 그 이야기에 정말 공감할 수 있었다.

난 내 옆에서 자고 있는 성빈이의 얼굴을 가만히 바라보았다. 그리고 생각했다. 그 시간들을 값지게 만들어주는 것은 바로 소중한 누군가 덕분이지 않을까 하고.

눈을 감았다 뜨니 어느새 우리가 내려야 할 역에 도착해 있었다. 한 걸음 걸을 때마다 가시를 밟는 것 같이 아파오는 발을 이끌며 우린 역 밖으로 걸어 나갔다.

화려한 조명들이 주인공이 되어 빛나는 밤이 찾아와 있었고, 고개를 숙일 줄 몰랐던 낮의 열기는 어느새 사그라져 있었다.

우리는 역 앞에 있는 버스 정류장에서 멈춰 섰다.

"성빈아 뭐 줄 거 있어."

그리고 주머니에서 계속 굴러다니던 무지개 팔찌를 꺼내었다. 그리고 성빈이의 손에 팔찌를 건넸다. 성빈이는 팔찌를 받아들더니 빛에 비추어 보며 밝게 웃었다. 그리고 날 바라보며 미소와 함께 고마움을 전하였다.

사람은 밤에 보는 것이 가장 예쁘다는 말이 있다. 친구끼리 그러는 게 좀 낯간지럽기는 했지만 그때의 성빈이는 정말 예뻤다. 가로등 불빛을 받으며 웃고 있는 성빈이는 어둠 사이에서 은은하게 빛나는 등불 같았다. 여자애들 사이에서 인기가 많은 이유를 알 법 했다.

그리고 우린 안녕을 고했다. 버스정류장에 앉아 저 멀리 걸어가는 성빈이의 뒷모습을 바라보았다. 약간 땀에 젖은 채로 바람에 흔들리는 흰 티셔츠를 입고 있는 성빈이의 모습은 내가 알던 그 전과는 사뭇 달랐다. 아마 너와 나 모두 처음이었기 때문에 그런 것일까.

◆

방학 중간쯤에 성빈이와 같이 새로 개봉한 영화를 보러 가기로 했다. 퀴퍼에서 만난 이후로 성빈이와는 정말 가까운 친구 사이가 된 것 같았다.

성빈이는 나를 보자 밝게 웃으며 손을 흔들었다. 나도 따라 손을 흔들었고 우린 같이 영화관 안으로 들어갔다.

영화는 역시 기대했던 만큼 재미있었다. 하지만 성빈이가 영화가 시작하기 전에 팝콘을 너무 많이 먹어버려서 팝콘 없이 영화를 봐야만 했다. 우린 그것 가지고 웃픈 실랑이를 했다.

영화관에서 나온 뒤 우린 영화관 건물 옆쪽에 있는 나무를 둘러싼 둥근 벤치 위에 앉았다.

"유은아, 넌 만약 영화에서 나왔던 것처럼 너랑 가장 친한 친구가 널 배신하면 어떨 거 같아?"

"화나겠지, 근데 슬픈 게 가장 클 거 같아. 그 친구랑 함께했던 추억들이 얼마나 많았는데."

내 대답을 들은 성빈이는 하늘을 바라보며 가만히

고개를 끄덕였다.

그리고 우린 한참 영화의 대한 토론을 이어갔다.

그때, 우리 사이의 이야기를 끊는 문자 알림 소리가
성빈이의 휴대폰에서 연달아 울렸다. 성빈이는 잠시
이야기를 끊고는 휴대폰을 집어 들었다.

성빈이의 주위에는 사람이 정말 많았다. 그 사실을
진정으로 체감하게 된 때는 대략 한 달 전인 성빈이
의 생일이었다.

그 날, 반에 있는 모든 사람들은 성빈이의 생일을 축
하했다. 모두 성빈이에게 짧은 축하인사를 건넸고, 깜
짝 생일파티를 해 주었다. 성빈이의 자리에는 크고 작
은 생일 선물들이 잔뜩 쌓여 있었다.

성빈이는 인기가 많았다. 분명 모두에게 밝고 살갑게
대해주는 성격과 도움을 요청하면 흔쾌히 받아주는
넉살 좋은 모습 때문일 것이다.

그에 비해 짝꿍인 나의 생일은 비교될 정도로 초라
했다. 혜은이, 윤서, 채민이 외의 아이들은 내 생일을
크게 신경 쓰지 않았다. 애초에 내 생일이었는지도 몰
랐을 것이다. 책상 위에는 선물이 놓여있지 않았고,
축하파티도 열리지 않았다. 그도 그럴 것이 대화도 제
대로 해 보지 않은 애의 생일을 굳이 기억하고 축하
해줄 이유는 없었다.

사실 애들과 대화를 하고 싶지 않아서 하지 않은 건 아니었다. 나 역시도 많은 아이들 사이에 껴서 웃고 떠들고 싶었다. 하지만 난 대화를 어떻게 재밌게 이어 가야 하는지 몰랐고, 결국 애들에게서 돌아오는 건 미지근한 단답과 어색한 웃음뿐이었다.

 어쩌다 그렇게 비교될 때면 성빈이는 내가 다가설 수 없는 모양과 색깔을 하고선 내게 멀리 떨어져갔다.

"유은아 미안, 너무 핸드폰만 하고 있었지? 중요한 연락이 와서."

 성빈이는 손에 쥐고 있던 휴대폰을 내려놓았다. 어느새 내가 친구 성빈이로 돌아와 있었다. 나는 괜찮다고 말하며 고개를 끄덕였다.

 가끔 성빈이가 나와는 다른 삶을 사는 존재라는 것이 느껴질 때가 있긴 해도, 성빈이는 좋은 아이였다. 다른 사람들, 그리고 나조차도 챙길 줄 아는 친구였다. 새벽녘의 초승달 같은 입을 하고 웃는 성빈이의 얼굴을 볼 때면, 무슨 말이든 다 해도 괜찮을 것 같은 안정감이 느껴졌다.

"성빈아, 내가 이 학교로 왜 전학 왔는지 말해줄까?"

 정확한 이유는 알 수 없었다. 이거라도 말하지 않으면 성빈이가 영영 내 쪽을 돌아보지 않을 것만 같았다.

성빈이는 흥미로운 듯한 콧소리를 내며 내 쪽으로 돌아앉았다.

아무한테도 말 한 적 없는 이야기를 지금 성빈이에게 처음으로 드러낸다.

◆

일 년 전, 그러니까 내가 초등학교를 졸업하고 중학교에 입학할 즈음이었다. 그때의 나에겐 중학교란 너무 기대되고 설레는 곳이었다.

중학교에선 모두가 나와 똑같은 옷을 입고 있었다. 처음 입어보는 교복에선 새 옷 특유의 화학물질 냄새가 났고, 나랑 똑같이 약간 크고 빳빳한 교복을 입고 있는 아이들은 내게 서툰 인사를 건네었다. 새로운 곳의 낯선 공기와 여기저기서 들리는 낯선 목소리는 내 행복한 중학교 생활을 예견하는 좋은 신호라고 생각하며 지냈다. 그때는 꽤나 긍정적이었다. 아무것도 모르는 신입생의 힘찬 활기로 입학 몇 주간은 즐겁게 지낼 수 있었다.

내 중학교 1학년 시절의 전부였다고 말할 수 있는 사람이 있다. 그건 바로 내 첫 짝꿍 이대영이었다.

그 애를 처음 본 순간 난 향수의 향이 주위로 퍼져나가는 것처럼 순식간에 그 애에게 빠져버리고 말았다. 그 애는 얼굴도 잘생겼고, 키도 크고 성격도 외향

적이었다.

　그 애는 자체적으로 빛을 내뿜고 있었다. 그리고 그 힘으로 주위의 사람들을 자기 옆으로 끌어왔다. 나 역시도 그 애가 내뿜는 빛에 눈을 팔려 그 애 안에 끌려들어와버리고 말았다.

　하지만 그러지 말았어야 했다. 그 애와 눈을 마주치지 말았어야 했고, 그 애가 하는 모든 말들을 토해냈어야 했다. 나는 그저 한낮 나방일 뿐이었다. 벌레잡이 통이 내뿜는 자극적인 빛에 내몰려 주위에 난무한 그 어떤 죽음도 보지 못하고, 굴욕적인 최후를 맞이하게 되는 나약한 벌레였다.

　대영도 유난히 자기를 바라보는 내 시선을 눈치 챘었는지 내게 유난히 더 친절했다. 매일 대화를 할 때마다 내게 거창한 눈웃음을 지어 주었고, 다른 애들과 있다가도 내가 보이면 나를 따라갔다. 난 그런 대영의 행동이 너무 좋았다. 지금 생각하면 별 일 아닌 것인데도. 그때의 난 아무것도 몰랐다.

　내가 기대했던 일이 다 현실로 일어나니 정말 행복했다. 우린 학교가 끝나면 하교를 같이 했고, 단 둘이 맛있는 것을 나누어 먹었다. 카페 안에 앉아 서로를 마주보며 사소한 대화를 나누었고 이따금씩 서로의 눈을 바라보며 웃음을 터트리기도 했다.

그 애가 하는 모든 말들이 다 재미있었다. 그 애의 깊고 어두운 눈을 바라볼 때면 절대 벗어날 수 없는 황혼에 사로잡힌 듯 했다. 그리고 그저 좋은 것을 넘어서 그 애에게 뭐든지 다 해줄 수 있을 것만 같은 착각에 휩싸였다.

공기 속에 물방울들이 생겨나고 주위의 모든 생명들에 푸른 기운이 깃들기 시작할 무렵, 나는 대영에게 쌓이고 쌓였던 마음을 고백했다. 내가 너를 좋아한다고, 너랑 오래 함께 하고 싶다고.

그리고 대영은 내가 기대하던 대로 환한 미소를 지으며 내 손을 잡았다. 그 어느 때보다 기뻤고, 마치 천국에 온 느낌이었다.

삶이 기대하던 대로만 흘러가면 참 좋을 것인데 말이다.

맑은 하늘색 같았던 그 때의 여름은 아직까지도 내 손목 언저리를 맴돌고 있다.

난 대영이 내민 손을 언제나 꼭 잡고 있었다. 학교에서도, 학교 밖에서도. 나와 대영은 언제나 함께였다.

우리 집 앞에는 하천이 있다. 우리 집과 학교 사이를 가로지르는 하천이었다. 그래서 등하교를 할 때마다 거기를 지나곤 했다. 대영과 함께 하교할 때도 그러했다.

하천 위에는 다리가 놓여있었다. 그 위를 지나가려면

당연히 필요한 것이었다.

　매일매일 하교를 같이 하다 보니 당연히 하천도 많이 지나다닐 수밖에 없었다. 그러다보니 나와 대영은 언제나 하천에서 함께 시간을 보냈다. 서로의 손을 꼭 잡은 채로 다리 위에서 하천을 내려다보거나 그 아래의 흙길을 거닐며 주로 시간을 보냈다. 천 아래에서 불어오는 축축한 바람을 맞으면서 떠다니는 오리들, 물속에서 입을 내미는 물고기들, 물 언저리에 자리 잡은 물풀들을 보며 시간을 보냈다.

　난 물기를 머금어 축축해진 대영의 머리를 손으로 헤집었다. 그러면 대영도 한때는 내가 정말 사랑했던 아기 오리 같은 미소를 지으며 내 묶은 머리를 풀었다. 대영에게서는 잔잔한 풀 냄새와 하천에서 올라온 젖은 흙냄새가 났다.

　첫사랑은 절대 잊을 수 없다고 한다. 받아들이기 싫지만 아무래도 대영이 내 첫사랑이었던 것 같다. 난 아직까지도 대영을 잊을 수가 없다.

　대영과의 연애 초반은 기억 속의 그 어느 때보다 행복했다.

　하지만 기억하기 싫은 행복도 있는 법이다. 이제 대영은 더 이상 기억할 가치가 없는 행복이었다.

　대영은 나 말고 다른 사람들에게도 인기가 정말 많

앉던 아이였다. 객관적으로 봤을 때도 대영은 참 잘생긴 아이였다. 칼처럼 날카롭고 높은 코와 갸름한 턱선을 가진 그 얼굴은 차갑고 도도한 인상을 주었다. 하지만 웃을 때는 그 인상이 한 순간에 풀어져 마치 어린아이와도 같은 모습이 되었다. 그런 반전의 모습을 보여주니 당연히 반 여자아이들에게 인기가 많을 수밖에 없었다.

하지만 그에 비해 나는 평범했다. 생각해 보면 대영이 도대체 왜 나 같은 걸 왜 만났는지 아직까지 의문이다. 어쨌든 그렇게 평범한 나와 그 멋진 대영이 연애를 하다니, 우리 이야기는 많은 아이들의 입에 구설수로 올랐다.

언제까지고 세상이 내가 원하는 대로 흘러갔으면 좋았을 건만, 세상은 그렇지 않았다. 좋은 것이 있었다면 나쁜 것도 항상 옆에 같이 존재했다.

시간이 지나면서 대영의 태도는 변해가는 계절처럼 점점 달라졌다. 화창했던 여름날의 햇살은 지고 건조하고 차가운 계절이 점점 다가왔다.

항상 나를 향해 뻗어 있던 손은 어느새 주머니 속에 들어가 있었다. 예전에는 그 손의 모양과 온도 습도까지 느낄 수 있었지만 ,이제는 겉으로 보이는 모양조차 알 수 없게 되어 버렸다. 항상 나에게 맞추어 걸었던 걸음은 이젠 항상 나를 앞질러 먼저 가 있었다. 그 뒤를 쫓아가느라 종종걸음으로 걷게 되고 이따금씩 다리가 저려 와도 대영은 신경 쓰지 않았다.

난 대영에게 눈을 맞추고 미소를 지어주었고 손을 잡았다. 매일같이 말을 걸었고 연락을 했다. 나는 여전히 대영을 사랑했다.

하지만 내 노력이 무심하게도 대영에겐 아무 변화도 없었다. 손에 들고 있는 핫팩이 점점 식어가는 걸 느끼는 것처럼 아무리 흔들고 만지고 주머니 속에 집어넣어 봐도 변하는 건 없다는 것을 알고 있었다. 하지만 난 그걸 인정하고 싶지 않았나 보다.

무언가 큰 변화가 있으면 될 줄 알았다. 사랑하는 사람의 새로운 면모를 알게 되면 그 새로움에 매료돼 더 깊이 사랑에 빠진다고 믿었다.

사랑하는 사람은 서로를 믿을 수 있다. 서로의 가장 연한 살을 드러내도 안심할 수 있는 사이이다.

"대영아 나 사실 논바이너리야."

난 대영에게 커밍아웃을 했다. 그것이 내 첫 커밍아웃이었다. 사랑하는 사람의 성별이 사실 다른 것이었다니, 얼마나 환상적인 반전인가.

"엥, 논바니아리? 그게 뭔데."

"내 성별이 남자도 여자도 아니라는 거! 성소수자의 일종이야."

난 바보였다. 나와 대영의 관계가 어떤 상태에 놓여 있는지 알고 있었다. 그리고 평소의 언행이나 태도를 통해 대영의 소수자에 대한 인식이 어떤지 대충이라도 알고 있었다. 그런데도 난 그냥 그 애를 믿은 거였다.

"너 그거 정신병이야."

그 말을 하는 대영의 눈은 사랑하는 연인을 보고 있지 않았다. 그건 더러운 벌레를 보는 것 같은 눈이었다.

난 아무 말도 할 수 없었다. 대영에게서는 날카로운 가시가 튀어나오고 있었고, 우리 사리에 흐르는 정적은 너무 온도가 낮아서 그 가시를 더욱 더 차갑고 날카롭게 만들었다. 고개를 숙인 채로 말없이 공벌레처럼 몸을 말고 있는 나를 두고 대영은 아무 말도 없이 자리를 떠났다.

그 날 이후 우리의 관계는 겨울바람 앞에 놓인 봄꽃과도 같이 말라갔고 얼어갔다. 내 기대와는 다르게 대영의 태도는 그 전보다 더욱 더 차가워졌다. 내가 애써 말을 걸어도 제대로 된 대답은커녕 땅만 바라보며 제대로 대꾸조차 하지 않았고, 그러다가 다른 아이들이 옆으로 지나가기라도 하면 도망치듯이 그 애들을 따라 떠나갔다.

혼자 남겨진 나는 대영이 예전에 사주었던 팔찌를 만지작거리며 가만히 서있었다. 썩어버린 동아줄을 처절하게 붙잡으며 하루하루 버텨낼 수밖에 없었다.

내게 다른 선택지는 없었다. 새 학기 초반에 무리를 만드는 데 시간을 쏟지 못해 그렇다고 할 친구도 없었고, 공부를 그다지 잘하지도 않았고, 딱히 그렇다할 취미도 없었다.

겨울을 앞에 두고 마지막 생명을 갈아 넣어 발악하는 벌레들로 가득한 늦가을 저녁이었다. 교실에 숙제를 두고 와서 저녁에 사람이 아무도 없는 학교를 찾았다.

그리고 난 보고야 말았다. 반쯤 열려있는 문 사이로 대영과 다른 여자아이가 함께 있는 모습을. 그 여자애는 반에서 가장 인기가 많은 아이였다. 그 둘은 누가 누구인지 분간도 가지 않을 정도로 강하고 깊게 서로를 끌어안고 있었다.

대영은 내게는 한 번도 지어준 적 없던 미소를 그 애를 향해 짓고 있었다. 그 미소는 네가 이 세상에서 제일 아름답고 네가 없으면 난 정말 안 된다고 말하고 있었다. 대영은 잔뜩 애태워진 얼굴로 그 여자애를 쓰다듬으며 얼굴에 입을 맞추고 있었다.

그날 내 삶은 무너졌다. 대영과 함께 만들어왔던 우

리들만의 탑은 그 광경을 본 순간 소리 소문도 없이 무너지고 말았다.

난 입을 틀어막고 바닥으로 주저앉았다. 눈에서는 눈물이 흘러나왔다. 빈 벽을 기대고 주저앉아 소리 없이 웅크려서 눈물만을 흘렸다. 난 침묵하고 있을 수밖에 없었다. 따져 보았을 땐 내가 대영의 여자친구이고, 대영이 저러고 있는 건 분명히 잘못된 일이었다.

하지만 난 알고 있었다. 잘못된 건 나였다. 애초에 처음부터 대영 옆엔 저 애가 있어야 했다. 나같이 이상하고 평범한 건 대영 같은 애들의 옆에 있어선 안 되는 것이었다.

굳건하다고 믿었던 우리의 관계는 사실 전부 다 환상에 불과했던 것이었을까, 그냥 전부 다 내가 만들어낸 가짜였을까, 네가 내뱉은 작은 응어리에 나 혼자 살을 더하고 더해 크게 만들었던 것일까. 이제 더 이상 아무것도 믿을 수가 없었다. 내 기억 속에 남아있던 대영의 다정한 미소와 부드러운 눈빛, 그게 전부 진짜가 맞긴 했는지 도저히 알 수가 없었다.

난 고개를 바닥으로 처박았다. 이대로 이 바닥 밑으로 깊게 가라앉아서 움직이지도 숨도 쉬지 않고 싶었다.

얼굴 위로 계속 흐르는 눈물 때문에 아무것도 보이지 않았다. 주위의 모든 것들은 형체를 잃어버리고 두

터운 입자가 되어 내 눈 앞에서 흩어져갔다. 대영과 함께 지나왔던 길, 함께 먹었던 음식들, 나누었던 대화, 같이 보았던 것들. 그것들은 그 순간부로 모두 내 안에서 얼어버린 채로 점점 회색빛으로 물들어갔다.

난 자리를 박차고 일어나 달리기 시작했다. 앞이 제대로 보이지 않았지만 그럼에도 달렸다. 숨이 가빠지고 다리가 끊어질 듯이 아파와도 멈추지 않았다. 만약 멈추기라도 하면 대영이 뒤에서 내 이름을 부를까봐, 다시 나를 보고 그 끔찍한 미소를 지을까봐 돌아볼 수 없었다. 숨은 쉬어지지 않았고 목은 막혀왔다. 고통스러웠지만 그래도 멈출 수 없었다. 영원히 달릴 수만 있다면 계속 달리고 싶었다.

하지만 결국 바닥에 주저앉아버렸다. 응어리진 내 가슴을 뚫어 버리기라도 할 듯이 가쁘고도 무거운 숨이 계속 입에서 튀어나왔다. 가슴을 움켜쥐었다. 이젠 모두 다 그만하고 싶었던 내 마음과는 다르게 내 심장은 그 애를 처음 봤을 때만큼이나 빠르게 뛰고 있었다. 왜 머리와 심장은 연결되어있으면서 같이 움직이지 못하는 걸까. 내 심장의 매질은 결국 그 애였던 것일까.

숨이 어느 정도 골라지자 눈을 닦고 고개를 들어 주위를 둘러보았다. 내 앞에는 개천을 지나는 다리가 있었다. 난 다리 난간을 붙잡고 떨리는 다리와 함께 천천히 그 위를 걸었다. 한 걸음 한걸음 걸을 때마다 대영과 함께했던 다리 위에서의 나날이 자꾸만 내 곁을 스쳐갔다.

숨을 쉬면 그때의 공기가 다시 느껴질까 봐 코를 막았다. 하지만 알고 있었다. 그때의 계절은 이미 지나가버렸다는 것을. 습한 계절은 지나갔고 건조한 계절만이 여기 남아있다는 사실을.

사실 그 모든 사실들을 알고 싶지 않았다. 그렇게 절망하고 있을 때에도 난 아무것도 모른 채 대영에게 취해 있고 싶었다. 다시 한 번만이라도 대영을 안고 싶었다. 다시 한 번만이라도 그 웃음을 보고 싶었다. 하지만 대영이 내게 남겨준 건 가슴 중앙에 뚫려있는 커다란 구멍 뿐 이었다.

나는 다리를 건너다 말고 주저앉았다. 그리고 소리 내 울기 시작했다. 대영이 없으면 안 되었다. 대영이 없으면 더 이상 살아갈 수 없을 것만 같았다. 대영을 놓지 말자는 쪽과 대영을 놓아버리자는 쪽이 머릿속에서 서로 실랑이를 했다. 하지만 그렇게 백 번 천 번 고민 해봐도 바뀌는 것은 없었다.

난 손목에 걸려있던 대영이 예전에 선물해준 팔찌를 빼들었다. 햇빛을 맞아 빛나고 있는 그 팔찌는 참 싸구려 같은 것이었다. 그럼에도 난 좋다고 그걸 하루 종일, 심지어 잘 때까지 끼고 있었다. 하지만 이제는 전부 무의미했다. 팔찌 아래에만 있어서 하얬던 피부도, 칠이 벗겨진 부분도 전부.

난 그대로 팔찌를 잡아 뜯었다. 팔찌를 이루고 있던 수많은 조각들은 달그락대는 소리를 내며 다리 주변으로 흩어졌다. 조각들은 전부 다 어디로 사라졌는지 금세 내 눈앞에 보이지 않게 되었다. 손에 남아있는 것은 한때 팔찌를 엮었던 하얀 실 뿐 이었다. 하얗고 보잘것없는 그 실을 붙잡으면서 나는 소리 내 울었다.

그날 밤 대영은 문자로 진정한 이별을 고했다.

↳ 유은아, 더 이상 널 좋아하지 않는 것 같아. 그리고 난 네가 성소수자인 걸 받아들일 수 없을 것 같아. 앞으로 만나지 말자.

결국 썩어버린 동아줄에서 떨어지고 말았다. 그리고 내게 남은 것은 따갑고 외로운 수수밭뿐이었다.

대영이 없는 나에게는 더 이상 남은 게 없었다. 대영과 함께 있는 것에만 집중했던 나에겐 친구란 없었다.

그리고 이상하게도 얘들이 은근히 날 피해 다녔다.

어느 날 나와 한 마디도 대화해본 적 없는 애가 갑자기 내게 오더니 물었다.

"야, 장유은. 너 성소수자야? 그럼 너 레즈야? 너 트젠이야?"

그 애가 다가옴에 잠시 기뻐했던 나 자신이 정말 혐

오스러워졌다. 그 모습을 지켜보던 반 애들은 나를 계속 쳐다보면서 킥킥댔다.

"야 장유은. 너 뭐냐고."

한 번에 알 수 있었다. 이대영이 내가 논바이너리라는 것을 모든 사람들에게 아웃팅 해 버린 것이었다.

난 급히 이대영을 보았다. 대영은 저 멀리서 자기랑은 상관없는 일이라는 듯이 다른 아이들과 똑같은 눈으로 나를 보고 있었다.

내 마음은 다시 칼로 찌르듯이 아파왔다. 이대영이 싫었고 반 사람들도 싫었고 이 세상이 너무 싫었다. 나를 이렇게 만들어버린 이 세상과 사람들이 너무 무서웠다.

나는 내게 질문했던 애를 밀쳐내고 교실 밖으로 뛰쳐나갔다. 그리고 화장실로 달려가 문을 잠그고 숨었다. 내가 범죄자라도 된 것 마냥 애들이 날 잡으러 올까봐 변기뚜껑 위에 다리를 올리고서는 입을 막았다. 손 위로 축축한 것이 흐르는 게 느껴졌다.

얼마 지나지 않아 화장실 문이 열리더니 여러 명의 여자애들이 안으로 들어왔다.

"아까 개웃기지 않았냐."

"근데 장유은 성소수자야?"

"아, 난 솔직히 이해 못하겠음."

"인정. 좀 사고방식이 이상한 듯."

"근데 솔직히 소수자면 차별 같은 건 다 감안해야지. 지가 선택한 건데."

"이대영도 잘 헤어졌다. 존나 아까웠지. 장유은이 뭐냐. 솔직히 다들 걔 싫어했어."

그리고 그 애들은 한참동안 내 뒷담을 깠다. 너무 나댄다며, 눈치가 없다며. 이대영이 너무 아깝다며. 난 이 세계관에서 대영을 위협하는 악당이었다.

이제 알게 되었다. 모든 아이들은 날 싫어했다. 눈치도 없고 주제도 모르고 게다가 성소수자이기까지 한 나를 모두 혐오했다.

난 그대로 집으로 돌아갔다. 그리고 더 이상 학교를 나오지 않았다.

그리고 중학교 2학년이 될 때 이 학교에 전학 오게 된 것이었다.

"이야기가 많이 길었지?"

성빈이의 표정은 진지했다. 그 깊고 진지한 눈으로 내 온몸을 보고 있었다. 과거를 덮고 있던 베일을 걷은 내 알몸의 모습은 참 초라했다.

"유은아. 그동안 수고 많았다. 이제는 그런 일 없을 거야."

성빈이는 여전히 진지한 표정을 한 채로 내 어깨를

두드렸다. 그리곤 먹다 남은 콜라를 옆에다 두고 먼 하늘을 올려다보며 긴 한숨을 내뱉었다.

"난 네가 부러워. 너같이 자기의 속마음을 잘 얘기할 수 있는 거. 그거 진짜 대단한 거거든."

성빈이는 그리고 텅 빈 공터 같은 눈으로 날 보며 입을 열었다.

"나도 너와 같은 일이 있었거든."

성빈이가 그렇게 자기 고민을 이야기 하는 건 아마 처음이었을 것이다.

내 이야기를 진심으로 들어주고 언제나 내게 웃어주는 성빈이에게 힘이 돼주고 싶었다. 작고 보잘것없는 마음이지만, 그 크기는 작아도 밀도만은 깊다는 걸 보여주고 싶었다.

"그래도 너 옆에는 내가 있어줄게."

난 성빈이에게 새끼손가락을 내밀었다. 그러자 성빈이도 살짝 웃으며 내 손가락에 자기 손가락을 걸었다. 어느새 찾아온 여름의 노란 노을이 성빈이의 얼굴에 비치고 있었다.

◆

꿈을 꾸었다. 나는 새카만 어둠 속에 있었다. 아무것

도 보이지 않아 눈을 뜨고 있는지 감고 있는지 알 수가 없었다. 깨어 있는지 꿈을 꾸고 있는지조차 알 수 없었다.

그때, 눈앞으로 작은 유리조각 하나가 떨어졌다. 작은 조각이었다. 하지만 그 안에는 빛이 들어 있었다. 내가 아는 가장 다양하고도 넓은 색깔의 빛들이 유리조각 안에서 뻗었다가 사라졌다가 하고 있었다.

유리조각을 집어 들고 고개를 들었다. 그 조각들은 먼 곳에서부터 하나하나씩 나타나더니 얼마 지나지 않아 공간을 가득 채웠다. 그러더니 마치 비가 오는 것처럼 내 앞으로 떨어졌다.

공간을 메우고 있는 광활한 색의 빛들을 바라보며 입을 닫지 못하고 있었을 때, 비는 멈췄다. 위에서 떨어지던 유리조각들은 시간이 멈춘 듯이 그 자리에서 움직이지 않았다.

그러더니 그 조각들은 모두 한 곳으로 모이기 시작했다. 다양한 색들은 점점 합쳐지기 시작했고, 마지막으로 하얀색이 되었다.

그리고 네가 되었다. 난 너를 잡기 위해 손을 뻗었다. 네 몸에 손가락 끝을 가져다댄 순간, 너는 산산조각으로 부서졌다. 부서진 너의 조각들은 순식간에 바닥으로 쓰러졌고 공들여 만든 하얀빛을 깜빡이더니 곧 점멸하고 말았다.

그리고 내 앞에는 다시 어둠이 찾아왔다.

나는 아직도 꿈속에 있었다. 내 입술을 깨무는 듯한 달콤한 꿈에. 내 손을 어루만지고 포근하게 안아주는 그 꿈에.

방 안으로 하얀 햇살이 들어오고 있었다. 경쾌한 아침을 부르는 새들의 지저귐도 햇살을 따라 날아오고 있었다. 난 침대에서 일어나 기지개를 피며 정말 아름다울 오늘의 하루를 불러보았다.

맑은 초록색과 노란색이 섞인 빛들은 내 앞에 길을 만들어주었고 그 주위에 비친 것들은 모두 무지개 색으로 빛났다. 육교 위에 펴 있는 보라색 나팔꽃들의 향기가 내 주위를 감싸 안았고, 날 하늘 위로 띄워 주었다.

그 사람과 점점 가까워질수록 내 걸음은 하늘 위에 둥둥 떠 있는 구름을 향해 날아갔다. 하늘 위에서 바라본 동네의 풍경은 아름다웠다. 하지만 그 중에서 가장 아름다운 건 바로 그 사람, 한성이었다.

그에게로 가까이 다가갈수록 구름에서 작은 번개가 치기라도 하는지 손끝이 찌릿했다. 그건 바로 설렘의 감각이었다.

한성은 학교 정문 앞에 서 있었다. 그와 눈이 마주치자 자연스레 웃음이 나왔다. 감히 누가 예상이나 했을까, 내가 저 정한성과 이런 관계가 될 줄은.

한성의 모습은 정말로 근사했다. 목 언저리까지 내려오는 머리를 뒤로 묶고 있었고, 독특한 디자인의 상의와 하의를 입고 있었다. 잘못하면 지저분해 보일 수 있는 옷들이었지만 한성과 더해지니 한성 고유의 특별한 분위기를 자아냈다.

난 심호흡을 크게 하며 들떠 있는 기분을 가라앉히고는 한성에게 다가갔다.

"안녕?"

한성은 나와 눈이 마주치자 살며시 미소를 지으며 손을 흔들었다. 한성 옆으로 가까이 다가가자 한성의 향이 바람을 타고 내 옆을 감싸 안았다. 향안에 뭐가 들어있기라도 한지 목덜미가 뜨거워졌다. 햇볕이 뜨거워서 그런 거라고 애써 얼버무리며 한성과 함께 발걸음을 옮겼다.

나는 작은 동물의 꼬리같이 뒤로 튀어나와있는 한성의 머리카락을 툭 쳤다. 그러자 한성은 웃으며 내 뒷머리를 쓸어 넘겼다.

한성에게 유난히 전기가 더 많이 흐르나 보다. 한성의 손이 뒷머리를 스쳐 지나갈 때마다 그 끝이 찌릿찌릿해서 가만히 있을 수가 없었다.

다리를 꼬거나 침을 삼키고, 숨을 쉬는 것까지 내 모든 행동 하나하나에 신경이 쓰였다. 페스티벌에 도착할 때까지 편히 있을 수는 없었지만 그 어느 때보다도 행복했다.

번쩍이는 조명과 찢어지듯이 날카로운 기타 소리와 함께 페스티벌이 시작되었다. 어수선했던 공간은 순식간의 사람들의 함성 소리로 가득 찼다. 한성은 사람들을 따라 환호성을 질렀다. 그리고 점점 강해지는 리듬을 따라 방방 뛰기 시작했다. 평소에 조용했던 한성과는 약간 다른 모습이었다. 그렇지만 그 모습이 더 좋았다. 그동안 방 너머에서만 보던 한성의 모습을 이제는 바로 옆에 앉아서 느낄 수 있었으니 말이다. 강렬한 연주를 듣고 있자니 나도 신이 나서 한성을 따라서 방방 뛰기 시작했다.
밴드 몇 팀이 지나가고 드디어 담화가 무대 위로 올라갔다. 담화는 그 전의 곡들과는 다른 잔잔한 곡을 연주하기 시작했다. 잔뜩 달아오른 축제에서 물 한 잔을 건네는 것과 같은 안정을 주었다. 우린 뛰는 것을 멈추고 담화의 연주에 집중했다.

네가 없으면 여름은 없겠지
네가 없으면 꽃은 피지 않을 거고 봄은 오지 않을 거

야

정원에 꽃이 없는 것처럼
찻집에 차가 없는 것처럼
네가 없으면 난 아무것도 아니야

세상의 모든 불빛과 모든 축제가 사라지는 것만 같겠
지
네가 없으면 더 이상 노래를 부르지 못할 거야
다시는 일어설 수 없을 거야

어떻게 잠을 자고
어떻게 깨어나고
어떻게 살아 있겠어
살아 있는 지옥과 같겠지

네가 아니라면[3]

 한성을 바라보고 생각할 때마다 몸이 떨려왔고 심장
을 누군가가 간질이는 것만 같았다. 언제부터 이렇게
되었는지는 모르겠다. 공간의 향이 사람에게 스며드는
것처럼 나도 모르는 새 한성의 흔적이 내 안으로 들

---

3) 밴드 manaskin의 IF NOT FOR YOU 번역 및 개사

어왔던 것 일수도 있다. 물체에 서서히 중독되는 것처럼 내가 알지도 못한 새 한성에게 잡혀버렸을 수도 있고. 한성과 어쩌다 손이라도 스칠 때면 내 온 신경은 전부 그쪽으로 향했다.

 사실 아직까지도 믿기지 않는다. 나도 모르는 새 호감을 가져버린 한성과 순식간에 가까워져 지금은 옆에 서서 같은 공간에서 같은 노래를 듣고 있다는 것이. 어쩌면 이 모든 게 다 꿈일지도 모른다는 생각도 들었다.

 나는 한성의 옆에 더 가까이 붙었다. 단단한 손으로 날 잡고 놔주지 않는 한성의 향이 더 짙게 느껴졌다. 거기에 정신을 놓아버리지 않게 마음을 단단히 먹으며 숨을 내쉬었다. 그리고 옆에서 노래를 감상하고 있는 한성을 슬쩍 쳐다보았다.

 한성은 날 보고 있었다.

 우린 그대로 눈이 마주쳤다. 한성은 내 눈을 피하지 않았다. 그렇게 우린 그대로 몇 초간 눈을 마주하고 있었다.

 노래의 클라이맥스가 터져 나왔고 사람들은 환호했다. 하지만 더 이상 들리지 않았다. 이 순간이 너무 깊어서 그 어느 것도 느낄 수 없었다. 그 순간부로 나의 시간은 멈추었고, 흐르지 않는 시간 속에서 우린 눈을 마주하고 있었다.

여기서 더 어떤 것을 해야 하는지 알 수 없었다. 손을 움직이지도 눈을 피하는 것도 할 수 없었다. 한성의 얼굴에는 페스티벌의 화려한 조명이 비치고 있었다. 해가 넘어갈 무렵이었고 조명이 너무 세서 한성의 표정을 읽을 수가 없었다. 놀랐는지, 좋아하는지, 싫어하는지 제대로 알 수 없었다. 그저 미칠 듯이 떨려올 뿐이었다.

도시의 밤은 시끄러웠던 낮의 열기에 고요함을 한 스푼 넣은 것 같이 소란스러우면서도 고요했다.
나와 한성은 말없이 서로의 발걸음에 맞추어 걸었다. 왕성했던 낮의 열기는 아직까지 내 피부에 감돌고 있었다. 귀 언저리에서는 페스티벌 때 들었던 노랫소리가 이따금씩 맴돌았다.
가끔씩 나를 쳐다보는 한성의 시선이 느껴졌다. 그러다 나도 따라 쳐다보기라도 하면 한성은 급히 눈을 돌렸다.
우리는 어느새 학교 앞에 도착했다. 인사를 하고 집으로 돌아가려는 찰나, 한성이 내 손목을 붙잡았다. 한성은 잠시 우물쭈물 대다 끝내 내 눈을 보며 입을 열었다.
"오늘 너랑 같이 있어 보니까 확실히 알겠어. 이제는 너랑 더 많은 걸 함께하고 싶어. 유은아, 널 많이 좋아하나 봐."

그 말과 함께 한성의 향이 다시 내 코끝을 스쳤다.

난 한성을 바라보았다. 한성의 얼굴은 잔뜩 붉어져 있었고, 눈을 가만히 두지 못하고 있었다. 잔뜩 긴장 해 있는 것이 눈에 보였다. 난 한성의 눈을 바라보며 입을 열었다.

그 순간 대영이 내 머릿속을 스쳐 지나갔다. 그 차가 웠던 얼굴과 말투는 내 머릿속을 순식간에 얼려 버렸 다.

대답이 입 밖으로 나오지 않았다. 분명히 나도 한성 을 좋아한다. 나도 좋아한다고 대답해야 했다. 그런데 말이 나오지 않았다. 무언가가 내 혀를 묶고 있기라도 한 것처럼.

내가 아무 대답도 하지 않자 한성은 바닥으로 눈을 내리깔더니 뒤로 돌았다. 그리고 고개를 푹 숙인채로 천천히 걸어가기 시작했다. 난 여전히 움직일 수 없었 다.

그때 한성의 마지막 잔향이 바람을 타고 내게 불어 왔다. 그것은 온 힘을 다해 날 묶고 있던 무언가를 풀 어냈다.

절대 한성을 놓쳐버리고 싶지 않았다. 난 한성에게로 달려갔다. 힘없이 축 처진 한성의 손을 세게 잡았다. 그리고 말했다.

"나도 좋아해."

　한여름은 뜨거웠고 그 열기는 우리를 더 가깝게 끌어안았다.

내뱉지 못했던 말들

인간은 인정받기 위해 살아간다. 평생을 들여 무언가를 배우고, 좋은 학교와 좋은 직장을 가고, 자기 자신을 관리하는 것의 밑바탕은 결국 타인의 인정이다. 애초에 이 사회는 타인의 인정이 없으면 살아가는 것조차 불가능하니.

방 안에는 선풍기 하나만이 돌아가고 있었다. 집 안은 고요했고 가끔씩 바깥에서 사람들이나 차가 지나다니는 소리만이 들려왔다. 방 안에서 돌아가는 선풍기 소리와 핸드폰에서 나오는 소리만이 정적의 구석을 채우고 있을 뿐이었다.
해가 뜨고 지는 것도 모른 채로 침대 위에만 누워서 유튜브를 뒤적였다. 그때 알고리즘 가운데 뜬 영상이 내 이목을 끌었다.

그건 며칠 뒤에 열린다는 퀴어 축제에 관한 영상이었다. 영상은 둥그런 광장에 몰려 있는 수많은 사람들과 무지개 색으로 꾸며져 있는 부스들을 보여주고 있었다. 그 영상에 비춰지는 사람들은 걱정이나 고민거리는 하나도 없어 보이는 모습으로 카메라를 향해 무지개 깃발을 흔들고 있었다.

축제일은 7월 1일이었다. 바로 다음 주 토요일이었다. 난 달력을 열어 일정을 확인해 보았다. 그날 일정은 없었다. 나는 엎드려 있던 몸을 돌려 천장을 바라보았다. 머릿속에서 아까 보았던 영상이 아른거렸다.

난 코로나 시국이 시작되기 전까지는 축제나 행사 같은 걸 자주 가곤 했다. 적어도 한 달에 한 번씩은 갈 정도로 축제를 좋아하는 사람이라고 할 수 있다. 저 영상은 몇 년간 묵혀두었던 축제에 대한 내 열정을 다시 끓어오르게 했다.

하지만 마음에 걸리는 게 하나 있었다. 그건 그 축제가 다름 아닌 '퀴어' 축제라는 것이었다. 내가 퀴어 축제에 갔다는 사실을 사람들이 알게 되면 다가올 반응은 뻔했다. 분명 게이냐며 놀릴 것이었고, 놀림에 이어 진짜 내가 게이라는 사실이 밝혀질 가능성도 있었다.

그래도 축제는 재미있어 보였다. 그리고 이 무료한

방학에 딱히 할 것도 없고 말이다.

 난 주먹을 쥐고 작은 목소리로 다짐했다. 아무한테도 들키지 않게 조용히 놀다 오겠다고.

 폭염 주위보가 떴다. 통풍이 잘 되는 반팔과 반바지를 찾아 입었다. 그리고 옷걸이에 걸려 있는 검은 모자를 집어 들었다. 모자를 쓰면 엄청나게 더울 게 분명했지만 어쩔 수 없었다. 난 모자를 푹 눌러쓴 채로 집 밖으로 나섰다. 이제 퀴어 축제로 떠난다.

 집에서 15분만 걸어가면 지하철역이 있는 시내가 나온다. 방학이기도 하고 게다가 주말이니 시대에는 분명히 놀러 나온 학교 사람들이 많을 것이다.

 시내에 도착하자 난 모자를 더 푹 눌러썼다. 오전인데도 찾아온 무더위 때문에 모자 속에서는 벌써부터 땀이 흐르고 있었다.

 지하철 벽에 기대어 꾸벅꾸벅 졸다 보니 어느새 목적지에 도착해 있었다. 밖은 마치 뜨거운 사우나 같았다. 아스팔트에서 끓어오르는 열기는 사람들과 만나 폭발적인 더위를 내뿜고 있었다.

 티셔츠를 펄럭이며 사람들로 가득한 축제장 입구로 걸어 들어갔다. 얼마 걷지 않은 거 같은데도 목과 등에서는 땀이 비 오듯이 흘렀다. 난 바닥에 떨어져 있는 주인 없는 부채를 집어 들었다.

'*당신은 당신 자체로 아름답습니다*'

 문구나 디자인 같은걸 따질 여유는 없었다. 그저 빨리 시원해지고 싶었다. 난 서둘러 부채질을 시작했다. 부채에서 더운 바람이 불어왔다. 바람만이 불어왔고 시원해지지는 않았다. 거세게 부채를 흔드느라 저번 주에 삐끗했던 손목과 팔이 아파왔다. 하지만 부채질을 멈출 순 없었다. 이거라도 없으면 정말 더워 죽을 거 같아서, 멈출 수가 없었다.

 다시는 이렇게 더운 날씨에는 축제에 오지 않겠다고 연신 다짐하며 걸음을 옮겼다.

"성빈아?"

 그 목소리가 내 귀에 꽂히자마자 주위는 한 순간에 얼음이 되었다. 사람들은 더 이상 움직이지 않았고 그 찰나를 파고 들어온 목소리만이 공간 속을 계속 울리고 울려댔다. 내 등 뒤로 차가운 입김 하나가 불어왔다.

'나는 너의 정체를 알아.'

 그 입김은 이렇게 말하고 있었다.

 난 서둘러 뒤를 돌아보았다. 그 자리에는 나를 보며 눈을 찌푸리고 있는 익숙한 얼굴이 있었다. 그건 유은이었다. 나와 눈이 마주치자 유은이는 벤치에서 일어나 내 쪽으로 걸어오기 시작했다.

찰나의 추위가 지나간 자리에는 무거운 이슬이 맺히기 시작했다. 목 뒤에서는 아까보다 더 많은 땀이 흐르기 시작했다.

하지만 아직 포기할 순 없었다. 아직 유은이가 그 사람이 나라고 크게 확신하고 있는 건 아닌 것 같았다. 지금이라도 달려서 도망치면 피할 수 있다.

나는 뒤를 돌았고 달리기 위한 첫 발을 뗐다.

그때, 문득 어떤 생각 하나가 내 머릿속에 발을 디뎠다.

'유은이는 왜 이곳에 있을까.'

내가 이 퀴어퍼레이드에 있는 게 이상하다면 유은이가 있는 것도 똑같이 이상했다. 유은이도 역시 이곳에 올 큰 명분은 없어 보였다. 유은이는 다른 물건도 없이 물 한 병만 들고 축제장 한 가운데에 혼자 앉아있었다. 반대세력으로 온 것 같지도 않았다.

그렇다면 유은이도 어쩌면 나랑 같은 처지일지도 모른다. 유은이도 나와 마찬가지로 단순히 축제를 즐기러 온 것이다.

그렇다면 크게 경계할 건 없었다. 반대세력이 아니라면 긴장할 것은 없었다. 여기가 그렇게 이상한 곳도 아니고 그저 축제일 뿐 이다.

그리고 이미 유은이가 날 알아챈 상황이고, 거기서 내가 도망쳐 버린다면 나중에 더 큰 문제를 낳을 수도 있는 노릇이었다. 그냥 내가 오늘 여기 있었다는 것만 적당히 입막음하면 될 문제였다. 난 반가운 척 유은이에게 다가갔다.

다행히 유은이는 나를 여기서 만났다는 것에 크게 놀란 것 같진 않아 보였다. 둘 다 혼자 온 처지였고, 각자 놀러 다니기에는 친분이 꽤나 있던 사이인지라 자연스레 유은이와 같이 다니게 되었다.

부스들은 도로 옆쪽에 줄지어 서 있었다. 50개는 족히 넘어 보였다.

우린 부스 앞을 둘러싼 사람들 틈 사이를 들쳐보며 재미있어 보이는 부스를 찾아 나섰다. 그때, 부스들의 행렬 중간에 끼어 있는 페이스페인팅 부스가 눈에 들어왔다. 마침 사람도 별로 많지 않아 보였고, 체험하기도 간편한 것 같았다. 난 재빨리 유은이를 부르고는 그 부스를 향해 뛰어갔다.

부스에는 페이스페인팅 외에도 여러 상품들을 팔고 있었다. 키링, 양말, 스티커같이 아기자기한 상품들이 부스 앞에 진열되어 있었다.

양말 옆쪽의 작은 나무 위에 열매처럼 걸려 있는 키링 하나가 눈에 들어왔다. 무지개 사이에서 작은 얼굴이 웃고 있는 모양의 키링이었다.

뒤를 돌아 나를 향해 빠른 걸음으로 걸어오고 있는 유은이를 보았다. 유은이의 바지 주머니 사이에서 색이 다 벗겨진 채로 너덜너덜해진 키링이 흔들리고 있었다. 그 모습을 보고 있자니 웃음이 나왔다. 그 캐릭터를 어지간히 좋아하는 모양이었다. 난 재빨리 키링 하나를 샀다. 그리고 유은이를 향해 건넸다.

"유은, 선물이다."

유은이는 키링을 받아 들더니 작은 감탄을 질렀다.

"성빈아 진짜 고마워, 마침 키링 바꾸려고 했는데."

그리고 나를 향해 미소를 지었다. 유은이의 미소는 창문 사이로 들어오는 얇은 빛줄기 같이 작고 부드러웠다. 둥글고 오밀조밀한 얼굴에 그런 미소를 짓고 있으니 참 순수해 보이기도 했다. 어떤 나쁜 짓도 지을 줄 모를 것 같아 보이는 인상의 아이였다.

행사장이 워낙 넓은지라 한 번 둘러보는 것에도 꽤 많은 에너지가 소모되었다. 날씨는 식을 줄 전혀 모르고 화가 난 듯이 익어 가기만 했다. 고작 7월 초인데도 불구하고 정말 더웠다. 몸의 모든 곳에서 땀이 비 오듯이 흐르고 있었다. 모자는 진작 벗어버린 지 오래였다. 머리에 연신 부채질을 해대며 그 자리에 가득 차 있는 열을 식히기에나 급급했다. 유은이가 힘들어 하는 것 같은 나머지 잠시 도로 구석에 멈춰 섰다. 멀리 보이는 도로는 점점 형체를 잃어 가며 녹아가고 있었다. 사람들이나 사물들 너머로 연기가 피어오르고 있었다.

 유은이도 나와 마찬가지로 나무에 기대어 연신 부채질을 해 대고 있었다. 난 휴대폰 카메라를 켜 내 얼굴을 보았다. 땀에 쫄딱 젖어 있었고, 머리는 이상한 방향으로 눌어붙어있었다.

 참 이중적인 날씨였다. 멀리서 보면 푸름이 넘쳐나는 생명의 터전과도 같은 모습이지만, 막상 가까이 다가가보면 그 사이에 눅진하게 달라붙어 있는 나 같은 녀석들도 보이곤 하니 말이다.

 배도 고프고 덥기도 해서 축제장을 빠져나와 근처에 있는 패스트푸드점에 들어갔다. 가게의 커다란 유리문을 열고 들어가자 마치 구원과도 같은 에어컨 바람이 날 반겼다. 이곳이 바로 천국이었다. 그토록 찾아가기 어려웠던 천국이 내 앞에 나타난 것이었다.

 잔뜩 녹아내리고 있던 몸을 굳힐 겸, 의자에 푹 기대어 에어컨 바람이 잘 들어오는 쪽으로 몸을 돌렸다.

 그렇게 멍을 때리고 있으니 에어컨 너머의 창문이 눈에 들어왔다. 서울 중심이어서 그런지 참 많은 차들이 지나다니고 있었다. 100대는 훌쩍 넘어 보였다.

 다들 어디로 향하고 있는 건지, 저 사람들 모두 다 다른 목적지를 가지고 있을 거다. 그 많고 많은 사람들이 모조리 다른 갈래로 나누어질 수 있다는 것이 신기했다. 내 주변 사람들은 그래 보이지 않았는데 말이다. 다들 하나의 것만을 바라보고 하나만을 따라가며 살고 있었다.

그때, 차들 사이로 조금 다른 모양의 차 한 대가 보였다. 그 차에는 검고 빨간색의 글씨가 가득 써져 있었다. 그 글씨들은 전부 다 똑같은 이야기를 하고 있었다. 사회의 악과 같은 성소수자를 없애야 하고 처단해야 한다며 입을 모아 말하고 있었다. 난 창 밖에서 눈을 떼고 한숨을 내쉬었다.

저 수많은 차들 중에도 내 등 뒤를 쳐버릴 차는 존재했다. 축제장을 빼곡이 채울 만큼의 성소수자 지지자는 존재했지만 여전히 반대자들도 존재했다.

사실 오는 내내, 그리고 오고 나서도 조금 무서웠기는 했다. 반대세력들이 나를 만나서 이상한 짓을 할까봐, 온전히 잘 살아오던 내 인생에 흠집을 낼까봐 긴장할 수밖에 없었다.

"사람들 반대세력 무서워서 이런 데 어떻게 오겠냐."

"그러게 나도.."

유은이는 그러다 순간 입을 틀어막았다. 그리곤 갑자기 불안한 듯이 눈을 굴렸다. 잠시 혼란스러웠지만 곧 알 수 있었다.

유은이는 무언가를 숨기고 있었다. 그리고 숨기는 건 아마 자기 자신에 대한 무언가일 거다. 유은이의 모습을 보면 알 수 있다. 보통 남의 비밀을 말한 사람들은 오히려 여유롭다. 애초에 자기 일이 아니니 웬만해선 크게 피해 볼 일이 없기 때문이다. 이미 뱉어 버린 거 주워 담을 수도 없고, 남의 입만 잘 막으면 되는 간단한 일이니 말이다.

하지만 유은이는 그것보다 훨씬 더 불안해 보였다. 뭐든 간에 자연스레 넘어가는 것이 최고의 상책일 것이다. 그냥 일상적인 대화를 들은 것 같이 자연스럽게.

"나 사실 논바이너리야..."

생각보다 빠르고 쉽게 비밀을 불어버린 유은이었다.

논바이너리라니, 어디선가 들어본 것 같았다. 하지만 정확히 무슨 의미인지는 몰랐다. 하지만 대충 알 수는 있었다. 유은이도 나와 똑같은 고민을 안고 있었다.

이 세상에 이런 고민을 가지고 있던 사람은 나 혼자가 아니었다. 내 주위에도 이런 문제를 겪는 사람이 존재했던 것이었다.

그렇지만 그 사실에 안심이 되거나 그런 건 아니었다. 지금 당장 난 유은이에게 어떤 말을 해 주어야 하는지 몰랐다. 그 고백에 대한 대답을 찾는 것이 지금의 내겐 가장 중요한 일이었다.

상상하지 못했던 일이었을 뿐이다. 그런 사람은 이 세상에 나 혼자뿐일 것이라고 생각해 왔다. 다른 사람은 다른 사람일 뿐이고 나는 나였다. 잠시 같은 차선에 서 있지만 금방 다른 길을 갈 그런 존재들일 뿐이라고 생각했다. 그랬기 때문에 그 어떤 것도 준비하지도 예상하지도 못했다. 결국 내가 할 수 있는 건 질문뿐이었다.

"진짜 미안한데, 혹시 논바이너리가 뭐야? 이런 거 뭔지 잘 몰라서."

유은이의 설명을 듣고 나니 머리가 더 복잡해졌다.

유은이의 정체성에 관련한 문제 때문이 아니었다. 바로 내 문제 때문이었다.

심장이 답답했다. 무언가가 그 위를 억누르고 있는 것처럼. 내 안에서 무언가가 꿈틀대고 있었다. 그것은 미끄러운 자신의 몸으로 내 심장을 계속 밀어붙이고 있었다. 그것의 몸부림은 초가 흘러갈수록 점점 커져갔다. 그리고 이제 그것의 움직임은 금방이라도 내 심장을 뚫고 나올 것만 같이 격렬해졌다. 그것을 진정시키기 위해 내 심장은 시간과 함께 점점 더 빨리 뛰어갔다.

곧 그것은 내 심장의 뚜껑을 부수고 나와 내 목구멍 안에서 꿈틀대기 시작했다. 헛구역질이 나올 뻔 했지만 참으면서 연신 침을 삼켰다. 유은이에게 이런 내 모습이 어떻게 보일지 모르겠다. 분명 허술하고 이상해 보일 거다.

난 슬쩍 유은이를 보았다. 유은이의 앞에는 무언가가

놓여 있었다. 작고 미끈거리는 어떤 것의 한 조각. 그리고 그 조각에서는 내가 여태 한 번도 본 적 없는 모양의 빛이 나고 있었다. 그 조각은 미끈거리는 몸으로 도망갈 생각은 하지 않고 내 눈앞에 가만히 앉아서 날 쳐다보고 있었다.

그것과 눈이 마주친 난 결국 토해 내버리고 말았다.

"나도 사실 게이야."

내 입에서 튀어나온 그것의 빛이 너무 거세 눈을 뜰 수가 없었다. 난 고개를 숙이고 눈을 질끈 감았다. 이미 뱉어버린 그 조각은 더 이상 다시 씹어 삼킬 수 없는 모양이 되어 있었다. 크고 끈적이는 조각은 내 입에서 날아가 유은이의 앞에 알몸의 상태로 놓였다.

"그래? 퀴어친구 하나 생겼네."

작은 웃음과 함께 유은이가 말하였다. 난 그 말과 동시에 고개를 들었다. 유은이는 미소를 짓고 있었다. 아까까지만 해도 우릴 죽일 듯이 찌르던 햇빛과 함께 유은이는 웃고 있었다. 태양빛은 유은이의 후광이 되어 검게 빛나는 머리를 비추고 있었다.

내 앞에 놓여있는 그 조각을 보았다. 내가 느꼈던 그것의 꿈틀거림과 크기와는 사뭇 다른 모습을 하고 있었다. 그건 내 생각보다 훨씬 작았다. 그 전까지 했던 상상들을 모두 비웃을 수 있을 정도로.

"고마워."

몸이 좀 피곤해졌다. 뭔가를 토해내는 것도 꽤나 에너지가 쓰이는 일인가보다. 난 의자에 몸을 기대고 콜라 한 모금을 마셨다.

몇 초간의 정적이 흐르자 유은이가 먼저 입을 열었다.

"근데 게이라면 남자애들이 연애 얘기할 때 좀 힘들지 않아? 우리 반 애들 여자 얘기 진짜 많이 하던데."

"그렇긴 하지. 근데 뭐 연애에 관심 없다면서 둘러대면 되니까. 몇 번 그러다 보면 자연스레 떨어져 나가더라."

유은이는 고개를 끄덕였다.

"근데 넌 힘든 거 없어? 논바이너리로 사는 거."

"다들 날 여자라고 생각하며 대하잖아. 근데 거기서 여자 아니라고 말할 수도 없고. 결국 계속 여자로 살아야 하는 게 힘들지."

그리고 서로를 마주보며 깊은 한숨을 내쉬었다. 너도, 나도 이런 문제에서는 힘들게 살아가고 있었다.

"나도 내 정체성에 대해 얘기하는 건 처음이다? 그런데, 뭔가 말하니까 속이 좀 편해진다."

그리고 유은이는 날 바라보며 웃었다.

그 조각은 어느새 우리의 눈앞에서 사라져 있었고, 조각이 빠져나간 자리에는 시원한 바람이 드나들고 있었다. 아직 그 조각 말고도 다른 것들이 많이 쌓여 있지만, 그 빈 공간으로 인해 마음속이 조금은 환기된 것 같았다.

잠깐 또 정적이 흘렀을 때, 유은이는 갑자기 의미심장한 눈빛을 하더니 날 보고 물었다.
"너 그럼 좋아하는 사람 있어?"
질문과 함께 한성이형의 얼굴이 떠올랐다. 저절로 지어지는 미소를 숨기기 위해 콜라를 한 입 크게 들이마셨다. 그 안에서 형의 향기가 나는 것 같았다.
아무리 게이라고 커밍아웃을 했어도 한성이형에 대한 건 유은이이에게 말할 수 없었다. 유은이는 한성이형과 인연이 있는 사람이었다. 그리고 그 사실이 마음에 걸렸다. 그리고 더 나아가 그 둘의 관계성에 대한 것도 마음에 걸렸다. 한성이형은 이성애자다. 그리고 유은이도 아마 이성애자일 것이다. 그러니 혹시 모를 가능성을 배제할 수 없었다. 그 둘이 밴드실 안에서 눈이 맞아버렸을 확률을.

어느새 퍼레이드를 할 시간이 다가왔다. 축제장 가운데에는 신나는 음악이 나오는 트럭이 있었고, 사람들은 전부 그 트럭을 따라가고 있었다.
퍼레이드 중반쯤에 서 있던 우리의 앞과 뒤에는 끝

이 보이지 않을 정도로 많은 사람들이 있었다.

사람들을 따라 걸어가고 있는데, 갑자기 우리 앞쪽에서 환호성 소리가 들렸다. 그곳에는 현수막을 든 채로 입을 맞추고 있는 게이커플이 있었다. 사람들은 그 모습을 보고 환호하고 있었다. 사람들 앞에서 그렇게 입을 맞추며 서로를 향한 감정을 드러내도 이상하게 보는 사람이 아무도 없다니, 신기했다. 내가 있는 세상에선 절대 일어날 수 없는 일인데 말이다.

우리 옆에선 화가 난 반대 세력들이 소리치고 있었다.

"퀴어 축제 반대 동성애는 죄악이다!"

"뭐라는 거야. 퀴어 축제 찬성."

유은이가 옆에서 나지막하게 외쳤다. 그 말이 웃겨서 큰 소리로 웃었다.

여기선 여러모로 신기한 것들을 느낄 수 있었다. 여기서는 편하게 반대세력들을 욕할 수 있었다. 평소였으면 혐오하는 사람들 앞에서 가만히 있어야 했을 텐데 말이다. 여기서 당연히 내 모든 것을 드러낼 수는 없었지만 그래도 하나쯤은 드러낼 수 있었다. 여기선 게이여도 괜찮았다.

퍼레이드는 원래 있던 행사장에서 막을 내렸다.

축제는 한적해져 있었고 주위의 부스들은 대부분 마무리 정리를 하고 있었다. 우리도 땀 때문에 찝찝하고 피곤해지기도 하니 집으로 돌아가기로 했다.

집으로 향하는 지하철을 타러 걸어가던 중 유은이의 핸드폰이 울렸다. 유은이는 걷다 말고 멈춰서 핸드폰을 꺼내 들었다. 그러더니 그 안에 있는 것을 보며 미소를 지었다. 난 고개를 유은이 쪽으로 뻗어 그 안에 있는 것을 슬쩍 보았다.

↳ 뭐해.

↳ 바빠?

그 문자의 발신인은 너무나도 익숙한 프로필 사진을 하고 있었다. 어두운 숲속을 찍은 사진. 매일 습관적으로 보던 사진이니 난 그 사진의 주인을 너무 잘 알고 있었다.

나는 애써 부인했다. 사진이 어두워서 내가 잘못 본 것일 거라고. 너무 짧게 봐서, 너무 사진이 작아서 헷갈린 거라고 연신 되뇌었다.

처음부터 알고 있었다. 내 감정이 마음 깊은 곳을 뚫고 나와 모습을 드러내기 전부터 알고 있었다. 나와 한성이형은 이어질 수 없었다.

형은 예전부터 가끔씩 내게 좋아하는 여자애에 대해 말하곤 했다. 형이 그 여자애에 대해 이야기할 때면 형의 얼굴에는 내가 평생 보지 못했던, 그리고 앞으로도 보지 못할 미소가 지어지곤 했다.

축구공 하나가 내 가슴을 향해 날아왔다. 그리고 또 하나가 더 날아왔다. 형은 내 가슴 정중앙을 향해 그 공을 차고 또 찼다. 난 도망치지도 막지도 못해 그 공을 정통으로 계속해서 맞고 있었다. 가슴팍은 이미 시퍼런 멍으로 가득했고 맞은 곳은 찢어지듯이 아파오고 있었다.

하지만 그래도 버틸 수 있었다. 그 공을 차는 사람이 형이어서 오히려 더 기뻤다. 그렇게라도 형 옆에 있을 수 있다면 난 다 좋았다. 형이 내게 사랑을 주지는 못해도, 이렇게라도 함께 있을 수 있다면 괜찮았다. 언제까지고 형과 나 둘이서, 영원히.

눈을 감고 잠을 자려고 했지만 잠이 오지 않았다. 억지로 감고 있던 눈을 뜨고 허리를 폈다. 지하철 안에는 사람들이 꽤 많이 있었다. 저 사람들을 모두 제치고 자리에 앉을 수 있던 건 큰 행운이었다. 유은이는 많이 피곤했는지 벽에 기대어 졸고 있었다.

난 지하철 창밖으로 보이는 밤의 푸른 하늘을 바라보았다. 예전에 다른 여자들이 그랬던 것처럼 유은이도 똑같이 하면 될 일이다. 형은 유은이에게 차이면 되는 거고, 나는 그런 형을 위로해주면서 계속 지금처럼 지내는 거다. 내 마음만 들키지 않으면 영원히, 형과 나 둘이서 행복하게 웃으며 살 수 있다.

그래, 분명 그럴 것이다.

어느새 거리엔 짙은 밤이 와 있었다. 그럼에도 시내에는 밤을 즐기는 사람들이 많이 나와 있었다. 주위의 가로등과 건물에서 나오는 불빛들은 밤거리를 환하게 밝히고 있었다.

우리는 유은이의 집으로 가는 버스정류장에서 멈추어 섰다. 그리고 난 유은이에게 손을 흔들며 작별인사를 건넸다.

그런데 유은이는 인사를 받아주지 않고 주머니를 주섬주섬 뒤질 뿐이었다. 그리고 얼마 지나지 않아 그 안에서 무언가를 꺼냈다. 그리고 내 손 안에 그 안에서 나온 무엇을 쥐어주었다. 딱딱하고 동그란 구슬 같은 것들이 손 안에서 굴러다니는 느낌이 났다. 손을 펴 보니 그 안에는 무지개색의 투명한 비즈로 만든 팔찌 하나가 들어 있었다.

"여기, 선물이야."

그리고 유은이는 땀에 잔뜩 젖어 축축해진 채로 나를 바라보며 웃었다. 이 녀석의 웃음은 그 어느 때보다도 더 진솔해 보였다. 내가 진솔하고 말고를 따질 수는 없었지만, 그냥 느낌이 그랬다. 어떤 허물이 한

가닥 벗겨진 것 같이 더 맑고 깨끗해 보였다.

난 유은이에게 인사를 건네고 점점 어두워지는 밤거리를 향해 발을 옮겼다.

시내를 빠져나오자 하얀 가로등만이 밝게 빛나고 있는 구식 아파트촌 거리가 날 맞이했다. 주위에는 사람이 거의 없었고, 풀벌레 소리만이 먼 도시의 소음 사이로 들리고 있었다. 쓸쓸하다고 느낄 수도 있겠지만 가로등이 밝아서 그런가, 이 고요가 오히려 더 편안했다.

◆

눈을 떠야 했다.
고개를 들어야 했다.
일어나야 했다.
걸어가야 했다.

내 앞에 있는 저것들을 헤치고 나아가야 했다.
그것들은 서로가 서로의 몸으로 자신들의 목을 감고 몸통을 끌어안고 다리를 뜯어먹고 있는 채로 게걸스럽게 엉켜 있었다.
그리고 나는 맨몸이었다.

내 옆에 떨어져 있는 나뭇가지를 집어 들었다. 그리고 작고 작았던 내 몸보다 한참 위에 있던 그것들에게 던졌다.

돌아오는 건,

그들의 수백 개의 발톱들은 전부 나를 향해 날을 세우고는 달려들었다. 악취가 나는 입에서는 입에 담지도 못할 말들이 퍼부어졌다.

내 몸은 찢어발겨졌다. 사지를 잘리고 뜯겨 피투성이가 되었다.

내 앞에 떨어져 있는 작고 마른 나뭇가지는 그 손에 피 한 방울도 묻히지 못한 채로 반으로 갈라져 있었다.

제대로 열리지도 않는 입으로 연신 불렀다.

목을 찢어가듯이 부르짖는 목소리가 점점 줄어드는 것을 느끼면서, 목 안을 채워가던 모래가 목소리를 막아가는 것을 느끼며.

엄마, 어디 있어?

..성빈아, 친구들이 너에게 어떻게 했는지 말해줄 수 있을까? 선생님께 말해줘야지 성빈이 널 도와줄 수 있어....
..엄마는 아직도 전화가 안 되니?

...전학 같까?

 살아야 했다.
 살아남아야 한다.

 그들은 내가 휘두르는 나뭇가지보다 내 언변을 더
좋아했다.
 그들의 앞에서 재롱을 떨고 나면, 그들이 웃으며 몸
을 비트는 순간 틈이 생긴다.
 그들의 안쪽에 발을 디뎌 보니 알 수 있었다.
 복잡하고 단단해 보이는 겉과는 달리 그들의 안쪽은
어처구니없게도 너무 무르고 단순했다. 내 터무니없는
익살에 만족하며 살을 벌리는 모습은 웃음이 나올 정
도로 한심했다.

 자연스레 발을 딛고 높은 곳으로 올라가는 법을 깨
우치게 되었다.
 다시 말하지만 살아가야 한다.
 내 몸을 덮어줄 그들의 팔과 몸이 없어서는 안 되었
다. 그렇다면 사무치는 추위에 끝내 얼어 죽었을 것이
다.
내 살을 늘리고 늘려 그들 너머로 팔을 뻗고, 얼굴을
늘려 그들의 몸에 입을 맞춘다. 내 다리는 그들의 얼

굴과 몸 곳곳에 감겨 있다. 땀이 나도록 세게, 살 가
장자리가 터져도 그대로 감는다.

밤을 지낼 때면 가끔씩 그때의 기억들이 떠오른다.
입에서 나던 모래맛과 피 맛. 움직이지 않았던 팔 한
쪽도.

그럴 때면 다시 되씹는다. 그리고 되묻는다.

엄마, 어디 있어?

"중학교는 잘 가긴 했는데, 그땐 그랬어. 근데 내가
기억하는 게 맞는지 모르겠네. 유은아, 기억은 시간이
지날수록 왜곡돼 간대."

◆

수요일에는 항상 학교가 끝날 때만을 기다린다. 그
이유는 당연히 한성이형이다. 사람이 없는 학교에서
보내는 형과 나 둘만의 시간은 이 무료한 일상을 지
낼 수 있도록 하는 유일한 원동력이었다.

"형 방학에 한 번 볼래?"

방학이 찾아오기 며칠 전날, 한성이형에게 말했다.
커다란 말도 아니었고, 무거운 말도 아니었다. 그냥
다른 사람들에게 하던 것과 똑같은 방학약속 잡기일

뿐이었다. 하지만 이상하게도 형에게는 그 말 한마디 꺼내는 게 참 어려웠다. 입은 떨어지지 않았고 혀는 배배 꼬였다.

그 날 하루 종일 고심하고 고민해서 내뱉은 말이었는데, 준비하고 고민했던 것만큼 예쁘고 멋진 모양으로 나오지 않았고 그냥 작고 평범했다. 하지만 그 말을 형은 정성스레 집어 들었다. 그리고 미소를 지으며 고개를 끄덕였다.

시간은 흘러 어느새 형을 만나는 날이 다가왔다. 학교 앞에서 만난 우리는 약속이라도 한 듯이 자연스럽게 시내로 발을 옮겼다.

레슨이 끝나고 형과 항상 함께하던 일이 있었다.

레슨이 끝날 시간쯤이 되면 배가 출출해진다. 그렇기에 우린 항상 같이 카페에 갔다. 학교 가까이에 있는 카페도 아닌, 시내 한구석에 있는 작고 조용한 카페였다. 그 공간은 다른 사람 없이 오로지 우리 둘 만의 것이었다.

"밥 먹고 나왔으니까 카페나 가자."

습관처럼 배여 버린 우리의 일상은 어느새 우리를 그 카페 앞으로 데려다주었다.

카페 문에 걸려있는 종이 딸랑거리며 울렸다. 디저트 전문 카페여서 문을 열자마자 코를 감싸는 단 냄새가 나와 형을 맞이했다. 우선 카운터에 가서 주문을 했다. 형은 과일 푸딩과 음료를 주문했고, 나는 타르트 하나를 주문했다.

주문을 한 뒤 우린 우리의 전용 자리와도 같은 가게 가장 구석 창가 자리로 향했다.

형과 마주앉은 뒤, 조금 끈적거리는 테이블 위에 팔을 올렸다. 그리고 가게 너머로 지나다니는 사람들을 창밖으로 보았다. 언제나 바쁘게, 항상 누군가를 바라보며 어딘가로 향하고 있는 그들이었다.

불과 어제까지만 해도 나와 그들은 다른 세계 사람이었다. 그들은 도달해야 하는 것이 있었고, 나는 없었다. 하지만 오늘은 달랐다. 이제 나에게도 원하는 대상이 생겼고, 그는 바로 내 눈앞에 있었다.

"내 주변 사람들 중에 이런 거 먹어주는 사람은 너밖에 없다. 딴 애들은 여자애 같다면서 싫어해."

"응. 나도 그래. 형 말고는 이런 거 먹을 사람이 없어."

그리고 우린 서로를 마주보며 웃었다. 형과 함께라면 뭘 해도 다 좋았다. 그러다 형은 머리 위로 손을 올리더니 작은 한숨을 내쉬었다.

"여친 생기면 이런 거 같이 먹어주겠지?"

"응. 그렇겠지. 생기면."

난 책상 아래로 눈을 돌리며 살며시 웃었다.

그리고 정적이 찾아왔다. 서로가 느낄 쓸쓸함을 입에 담고 있을 바로 그 정적이.

음식을 들고 테이블로 다가온 직원이 그 정적을 깨 주었다. 직원마저 오지 않았다면 그 정적은 과연 어디까지 뻗쳐 나갔을까.

그런 종류의 이야기가 나오면 형과 나 사이에 항상 찾아오는 정적이었다. 둘 다 생각이 너무 많았던 나머지 입으로 뱉어낼 수 있는 말들을 찾지 못했던 것일까, 아니면 하고 싶었던 말들은 명확했지만 그 말들이 엇갈릴 수밖에 없다는 걸 알았기 때문일까.

사실 나라고 그런 종류의 정적을 깨는 법을 아는 건 아니었다. 애초에 이런 쪽으로는 경험이 없기도 했고, 어쩌면 깨고 싶지 않았던 것일지도 모른다.

형은 손가락만한 작은 숟가락으로 푸딩을 퍼 입 안에 넣었다. 그 모습을 보고 있자니 왜인지 모르게 가슴 안이 간지러워지는 것 같았다. 난 서둘러 바닥으로 고개를 돌리고 타르트를 입 안에 왕창 쑤셔 넣었다.

"이성빈, 뭐 하나 물어봐도 되냐?"

형의 단순하면서도 깊은 질문에 난 빠르게 형에게로 다시 고개를 돌렸다. 당연하게도 형의 눈은 날 향해 있었고 약간의 미소가 그 위에 올라와 있었다.

형의 입가에는 푸딩 위에 올라와 있던 크림이 조금 묻어 있었다. 난 무심코 그 얼굴 위로 손을 뻗었다.

"뭐하냐?"

"입에 크림 묻었길래. 여기 휴지 써."

방금 무슨 괴상한 짓을 하려고 했는지 깨달은 나는 멋쩍은 듯이 웃으며 테이블 옆쪽에 있던 휴지를 뽑아 형에게 건네주었다.

사실 난 디저트를 별로 좋아하지 않는다. 애초에 단 것도 별로 즐겨 먹지 않는다. 떡이나 초콜릿, 젤리 같은 거 말이다. 몇 입 먹으면 특유의 단 기름이 온 입에 들러붙어서 금방 물리게 된다. 그리고 많이 먹으면 속도 안 좋아진다.

그래도 형과 함께하는 이 시간 자체가 너무 좋아서, 내 눈앞에 형이 있다는 게 너무 좋아서, 좋아하지 않는 음식을 매주 먹는 것 정도는 쉽게 감당할 수 있었다.

형은 내가 준 휴지로 입을 닦으며 물었다.

"너 유은이랑 친하지?"

이 카페에 흐르고 있는 냄새만큼 달콤했던 내 마음은 한순간에 거품처럼 깨져버렸다.

"나 이번 주에 유은이랑 놀러 가는데 걔 뭐 좋아하는지 아냐?"

들고 있던 포크가 바닥으로 떨어졌다.

결국 유은이에게 연락했던 사람은 형이 맞았다. 이제 더 이상 부인할 수 없었다. 형의 마음은 항상 그랬듯이 다른 곳에 가 있었다.

애초에 안 될 마음인 거 알았다. 형은 내게 너무 거대한 존재였다. 그에 비한 나는 이 포크처럼 너무 가벼웠고, 음료 위에 올라와있는 거품처럼 얇았다. 형의 손짓이 일으켜낸 바람은 너무 거세서 나를 매일 바닥 너머로 쓰러뜨렸고, 형의 발걸음의 울림은 너무 비대해 나를 그 자리에서 일어나지 못하게 했다. 작고 무의미한 다른 사람들과는 다르게 형은 너무 커다랬다. 그런 형 앞에서 나는 내 자신을 지킬 법을 잊곤 했다.

포크를 주우려 몸을 숙이니 갑자기 숨이 막혀왔다. 차가운 에어컨 공기가 내 심장 언저리를 눌러드는 것 같았고, 난 연신 기침을 해 댔다. 형에 대한 마음의 농도가 짙어지고 깊어질수록 이 밑에서 숨을 쉬기는 점점 어려워졌다. 고개를 수면 위로 쳐들고 숨을 쉬어서 이 답답함을 해소해야 했다.

이제 더 이상 나 자신에게 거짓말하고 괜찮은 척 하며 웃을 수 없었다. 한계가 찾아오고 있었다. 계속 충격이 가해지는 자리에는 언젠가 피가 비치기 마련인 것처럼 내 마음을 누르는 거대하고도 무거운 것은 내 눈에 눈물을 비치게 만들었다. 테이블 밑에서 눈 사이로 조금 비쳐 나오는 눈물을 닦았다. 그리고 테이블 위로 올라와서 대답했다.

"아니. 난 모르겠는데, 걔 친구들한테나 물어봐."

그러자 한성이형은 무안한 듯이 웃으며 고개를 끄덕였다. 내가 원하는 대로 내 몸을 유지할 수 없었다. 내 입에서는 누가 봐도 거칠고 날 서 보이는 말투가 튀어나오고 있었다.

항상 내 기대와는 다르게 행동하는 형이 솔직히 미웠다. 내가 원하는 듯이 행동하다가도 금세 돌아서는 형이 야속했다. 형이 나를 좋아할 수 없다면, 그 누구도 좋아하지 않기를 바랐다. 그럼 계속 내 옆에서 지낼 수 있을 테니.

하지만 그건 헛된 희망이었고 한낮의 꿈이었다.

형은 나의 것이 될 수 없다는 걸 알고 있었다. 형은 형이었고 형의 인생을 살아가는 것이라는 걸. 어쩌면 나도 형에겐 그저 지나가는 바람 하나일지도 모른다는 것을. 형이 내 손 안에 계속 있을 리 없고, 애초에 잡힌 적도 없었다는 걸 알고 있었다.

그런데도 희망을 버릴 수 없었다. 형 앞에서 제멋대로 돌아가는 마음을 멈출 힘이 없었다.

"유은이랑 같이 가니까 좋아?"

"뭐 그냥 가는 거지."

형은 더 이상 내 눈을 보고 있지 않았다. 머리를 쓸어 넘기면서 어느 한구석을 보고 있었다.

가지 말라고 말하고 싶었다. 유은이는 내버려 두고 형과 나 둘이서 떠나버리자고 말하고 싶었다.

형을 향해 책상 밑에 있는 손을 뻗었다. 하지만 이내 내려놓았다. 언제나 그랬듯이, 항상 알고 있었듯이 나는 형의 손을 잡을 수 없었다.

화제가 넘어가고, 공간을 이동하고, 시간이 변해도 내 마음은 여전히 먹먹하기만 했다. 너무 많이 참아 와서 그런 걸까, 아니면 그 상대가 유은이라서 그런 걸까. 이 기분은 전과는 다르게 쉽게 지워지지 않았다.

"형 나 먼저 가볼게."

해가 지기 시작할 즈음 형에게 작별인사를 건넸다.

"어어. 잘 가. 방학 잘 보내고."

해가 지는 거리를 홀로 걸어갔다. 길 주위에 긴 아지랑이처럼 내 마음속은 여전히 우중충하고 먹먹했다.

제때 내뱉지 못한 숨들은 내 마음 깊숙이 쌓여 점점 곪아갔다. 곪은 덩어리들은 점점 퍼져 눈앞을 흐려지게 만들었다.

나아질 수 없는 마음이라면 치우는 게 답일 텐데, 나는 그럴 수 없었다. 내 맘대로 쓰고 책상 깊숙이 방치

해 둔 수많은 편지들처럼 형을 향한 마음을 숨겨놓을
수밖에 없었다.

 집에 도착해서 신발을 신발장에 마구잡이로 던져 놓
고 내 침대에 풀썩 누웠다. 주머니 속의 핸드폰이 한
번 울렸다.
 ↳ 집엔 잘 들어갔어?
 한성이형이었다. 바보 같은 내 마음은 다시 한 번 더
썩어버릴 희망을 틔워냈다. 난 아무 일도 없는 척 하
며 답장을 보냈다.
어어 당연하지. 형은? ↵
 ↳ 나도. 아 참고로 나 유은이 안 좋아한다.
그래? ↵
 ↳ 진짜. 안심하셈. 그냥 락페 같이 갈 사람이 없던
거였어.
 그 말이 진짜라고 믿기지는 않았다. 그래도 내 마음
은 안도의 한숨을 쉬었다. 형이 진짜 유은이를 좋아한
다 해도, 형은 아직 나를 버리지 않았다.
 창밖으로 보이는 밤하늘은 한성이형의 눈동자처럼
새까맸다. 밤하늘에 홀로 떠 있는 저 동그란 달에 한
성이형의 얼굴이 비춰오는 것 같았다.

첫사랑은 거짓말이다

 한성이형의 인스타그램에 유은이와 함께 찍은 사진
이 올라왔을 때, 나의 모든 것은 무너져 내렸다.

 내가 보고 있는 것이 진짜인지 도저히 믿기지가 않
아서 사진을 보고 또 보았다. 형은 애초에 인스타그램
의 남들과 찍은 사진을 잘 올리는 사람이 아니었고,
이성과는 더욱 그랬다. 형의 카카오톡 배경화면에는
대강 의미를 짐작할 수 있을 새 디데이가 올라와 있
었다. 그리고 유은이에게도 똑같은 것이 올라와 있는
것을 확인한 순간, 실감할 수밖에 없었다.

 그 순간부로 형과 함께했던 모든 것들이 무너져 내
리기 시작했다. 형에게 받았던 드럼 레슨, 형과 같이
갔던 디저트카페, 형과 걸었던 모든 거리들은 한순간

에 무너져 내려 형체도 없는 가루가 되었다. 무너져버
린 순간들 속에서 나 혼자만 덩그러니 앉아 있었다.
형이 해 주었던 말들만이 잔해 속에서 메아리쳤다.

올해 봄, 형은 내게 이렇게 말했다.

"넌 나한테 가장 소중한 후배지."

난 애써 기억을 되짚어가며 형의 말뜻을 유추해 보
았다. 하지만 이내 깨달았다. 차갑고도 당연한 현실을.
처음부터 내 앞에 당당히 드러나 있었던 어쩔 수 없
는 사실을. 난 애초에 형에게 선택받을 수 없는 존재
였다.

철저히 무시하고 있었다. 하지만 마음속에 쌓아두었
던 형과의 성은 처음부터 존재한 적도 없는 허상이었
고, 형이 쌓아올렸던 나와의 관계와 내가 쌓아올렸던
형과의 관계는 그 시작부터 전혀 다른 모양과 색을
하고 있었다.

애초에 통했던 적도 없고 통할 리도 없는 내 헛된
마음이었다. 오로지 나만, 나만이 가지고 있던 말라빠
진 꽃처럼 쓸모없는 마음이었다.

난 떨리는 손으로 형에게 메시지를 보냈다.

형 유은이랑 연애한다매? ↵

  ↳ 어ㅋㅋ맞아

오~축하해 응원할게 ↵

  ↳ 너 유은이랑 친하니까 나 많이 도와줘라?

형은 끝까지 날 괴롭혔다. 그리고 끝까지 내게 헛된 희망을 주었다.

형이 바라보는 나와의 관계는 온전하겠지. 나는 형을 좋아한 적도 없고, 그냥 친한 동생일 뿐이지.

나와 형의 상황은 너무나도 달랐다. 내 앞에서 형은 온전하고 굳건한 성을 보여주며 환하게 웃고 있었다. 하지만 나는 온 몸에 모래를 뒤집어쓴 채로 모든 것이 허물어진 바닥에 주저앉아 있었다. 바스러지는 모래를 손에 쥐고 애써 예쁜 모양을 만들어 형 앞에 가져다댔다.

눈이 먹먹해지기 시작했고 코는 찡하게 아려왔다. 하염없이 바라보고 있는 휴대폰 화면은 점점 흐려지고 있었다. 얼굴 너머로 팔이 올라왔고 몸은 점차 움츠러들었다. 난 마치 돌이 된 것처럼, 이젠 더 이상 그 어떤 움직임과 소리, 향기에도 반응하지 않겠다는 체념으로 눈을 감았다. 손 너머로 물 한 방울이 떨어졌다.

형도 다른 사람들과 똑같았다.

눈을 감았다 뜨니 날이 밝아 있었다. 해는 내 눈을 강제로 열어 재끼며 하루를 살라고 재촉하였다. 나는 이불을 머리끝까지 덮어쓰고 억지로 눈을 감았다. 째깍째깍 움직이는 시계소리가 이불 너머로 들려왔다. 꾹 감은 눈앞으로 여러 가지 색깔과 알 수 없는 모양들이 흘러갔다. 밝아졌다가 흐려졌다가 빨개졌다가 파래졌다가, 그게 곧 어떤 얼굴이 될 것 같아서 눈을 더 꽉 감았고 몸을 더 웅크렸다. 내가 이 침대와 한 몸이라도 된 것처럼. 약하게 숨을 쉬었고 몸을 움직이지 않았다. 그리고 다시 잠에 들기를 빌었다.

야속하게도 한 번 빛을 본 눈은 다시 잠에 들고 싶지 않아했다. 왜 하필 오늘 같은 날에 이러는 건지 이해할 수가 없었다. 결국 난 눈을 떠 방 밖으로 걸어나갔다. 역시 오늘도 엄마는 없었다.

교복을 대충 입고 신발을 구겨 신고 집 밖으로 나갔다. 또 다시 돼지우리처럼 시끄럽고 더러운 학교를 가야 했다. 머리는 지끈거렸고 발은 돌이라도 된 것처럼 무거웠다. 내 온몸이 학교를 거부하고 있는 것 같았지만 할 수 있는 건 없었다.

짐승과 같이 혼란스러운 소리로 가득 찬 학교는 항상 그랬듯이 내 신경을 긁고 또 긁었다. 자리에 앉아 휴대폰만 바라보았다. 휴대폰 속의 배속된 영상처럼 이 시간도 빠르게 지나가기만을 기다렸다.

어젯밤 내 심장을 갈기갈기 찢어놓았던 그들을 보지 않기 위해 휴대폰 속으로 눈을 더욱 더 가까이 가져다댔다. 그것들은 지금 내 앞에 있었다. 내 자리 옆에서 뭐가 그렇게 좋은지 실실대며 웃고 있었다.

내 자리에서 불과 1미터도 떨어지지 않은 곳에 유은

이와 한성이형이 있었다. 한성이형은 나에게 눈길 하나조차 주지 않았다. 오로지 유은이, 유은이만을 바라보며 바보같이 웃고 있었다.

한성이형과 유은이는 내게는 단 한 번도 보인 적 없던 가식 어린 미소와 말투를 서로에게 보여주고 있었다. 그리고 세상을 다 가지기라도 한 것처럼 환하게, 너무 기쁘고 달콤해서 그 주위의 다른 사람들을 모두 녹여버리기라도 할 듯한 웃음을 짓고 있었다.

아무것도 보지 못하고 아무것도 알지 못하는 저것들을 보고 있으니 정말 불쾌해서 미칠 것만 같았다. 빈속에서 위액이 뜨겁게 끓어올랐다. 그것들은 이리 튀고 저리 튀어 내 속을 부식시키고 있었다.

구역질이 나왔다. 공책을 재빨리 뜯어 사람들이 보지 않는 구석으로 몸을 웅크렸고 속에서 나온 것들을 그 위에 뱉었다. 내 안에서 나온 건 억울하게도 투명한 침 몇 방울 이었다.

1교시가 되자 제일 먼저 2학기 때 쓸 자리를 바꾸었다. 내 자리는 맨 앞줄의 앞문 옆이었다.

기분이 참 거지같았다. 사람들이 시도 때도 없이 문을 열고 닫아서 시끄럽고 추워서 가장 피하고 싶었던 자리였는데 운도 참 지지리 없었다.

자리를 옮기기 위해 책상 서랍 밑에 있는 짐들을 전

부 꺼냈다. 서랍 안은 찢어지고 구겨진 종이더미로 가득했다. 양팔 가득 종이를 안고 책상들 사이로 지나갔다. 누가 툭 치기만 해도 떨어트릴 것 같이 위태로웠지만 그래도 어찌어찌 잘 들고 와 새로 바뀐 자리의 서랍 안에 그대로 쑤셔 넣었다.

◆

이번 학기에도 어김없이 학교 인스타그램에는 밴드부 레슨 모집 글이 올라왔다. 난 그대로 핸드폰을 덮었다.

저번 학기에 했던 레슨은 내게 그 어떤 의미도 주지 못했다. 레슨의 시작과 함께 샀던 드럼스틱은 가방 구석에 방치된 채로 몇 달 동안 먼지만 쌓여갔다. 그 스틱은 여전히 새것처럼 반질반질했다.

목적이 아닌 수단으로서 사용했던 것들은 결국 내게 그 어떤 의미도 주지 못했다.

그리고 수요일 방과 후가 찾아왔다. 방과 후에 학교에서 할 일은 전혀 없었지만 난 집에 돌아가지 않았다. 머리는 집에 가야 한다고 말하고 있었지만 내 가슴은 다른 길을 안내하고 있었다.

가방 속에서 드럼스틱을 꺼내 들고 계단을 올랐다.

왜 그랬는지는 정확히 알 수 없다. 내가 모르는 내 안의 어떤 것이 그 스틱의 사용법을 잊고 싶지 않았나 보다.

곧이어 내 눈앞에는 텅 빈 4층 복도가 훤히 드러났다. 왠지 모르게 저 멀리서 드럼소리가 들리는 듯 했다. 항상 듣고 들었던 그 익숙하고도 아픈 반주가 내 귓가 주위를 맴돌고 있었다. 난 홀린 듯이 그 소리를 따라갔다. 그리고 밴드실 문 앞에서 발걸음을 멈췄다.

심장이 또다시 떨려왔다. 이미 상황은 지나갔는데, 있지도 않던 기회는 날아갔는데, 내 마음은 비슷한 게 보이기라도 하면 반가운 듯이 손을 흔들었다.

하지만 밴드실 안에서 들려오는 익숙한 웃음소리는 단숨에 그 마음을 꺾어버렸다. 난 밴드실 문에 난 작은 창문을 살며시 들여다보았다. 한성이형과 유은이가 그 안에 있었다. 그들은 서로의 손을 맞잡고는 뜨거운 눈빛을 교환하며 웃고 있었다. 딸그락 소리와 함께 손에 쥐고 있던 드럼스틱이 바닥으로 떨어졌다.

잠시나마 타오르던 기분은 그 위에 물을 끼얹은 듯이 잿더미가 되었다. 그리고 내 마음은 또다시 잘게 부서졌다.

저 광경을 더 이상은 보고 싶지 않았다. 그런데 몸이 움직이지 않았다. 내가 모르는 세상의 일인 것처럼 뒤를 돌아 가버리고 싶었는데 그럴 수가 없었다.

그 둘은 나를 보지 못한 것 같았다. 둘은 여전히 서로를 뜨거운 눈빛으로 바라보고 있었고, 저 하늘의 태양보다도 밝게 웃고 있었다. 한성이형과 유은이는 그 둘만의 세상에서 자신이 지을 수 있는 가장 아름답고도 풋풋한 미소와 함께 서로를 끌어안았다.

 어두운 밤거리에 켜져 있는 가로등 같은 미소가 형이 지을 수 있는 것 중 가장 아름다운 줄 알았다. 하지만 형은 광활한 하늘을 수놓는 은하수 같은 미소를 지을 줄 아는 사람이었다. 밤하늘에서 보았을 땐 은은하고 부드러우면서도, 가까이서 보았을 땐 수백 수천 개의 밝은 별들로 이루어진 그 열정을 형은 내게 알려주지 않았다.

 한때는 형과의 사랑의 주인공이 될 수 있을 거라는 희망을 품었다. 하지만 그 사랑의 주인공은 내가 아니라 유은이었다.

 난 바닥에 떨어져 있던 드럼스틱을 집어 들었다. 그리고 다짐했다. 더 이상 밴드실에 가지 않겠다고. 강하고도 마지못한 그 다짐을 가슴 주변에 덕지덕지 바르며 계단 아래로 내려갔다.

 교실로 돌아와 책을 폈다. 이제 다른 건 다 집어치우고 공부만 할 것이다.

 대략 1시간 정도 뒤에 학원 갈 시간이 되어서 학교

밖으로 나갔다.

　학교 밖에는 얇은 빗줄기가 하늘을 빽빽하게 채우며 내리고 있었다. 난 중앙현관 앞에 있는 우산꽂이에서 주인 없어 보이는 우산 하나를 뽑아들었다. 그리고 현관 밖으로 나가 그 우산을 폈다. 뿌연 먼지가 내 얼굴을 덮치고 주변으로 퍼져 나갔다. 대충 얼굴을 턴 뒤 학교 밖으로 천천히 걸어 나갔다.

"후문까지만 같이 가주라."

　누군가가 내 우산 안으로 급하게 들어오면서 내 어깨에 기댔다. 순간 중심을 잃어 저 축축한 흙바닥으로 넘어질 뻔 했다. 하지만 중요한 건 그게 아니었다.

　한눈에 알 수 있었다. 그 사람의 목소리와 그 뒤로 퍼져 나오는 향기를. 그 향은 내게 잊고 싶었던 것들을 강제로 다시 떠오르게 만들었다. 돌아보고 싶지 않았지만, 어쩔 수 없이 뒤를 돌아보았다. 그 자리에는 한성이형이 있었다.

　형의 머리는 비 때문인지 땀 때문인지 모르게 촉촉이 젖어 있었고 약간 가쁜 숨을 내쉬고 있었다. 나와 눈이 마주치자 형은 살짝 미소를 지었다.

　난 우산 밖으로 고개를 돌렸다. 그리고 아무 말 없이 걷기 시작했다. 형은 빠른 걸음으로 나를 따라왔고, 곧이어 나와 함께 우산을 맞잡고 걷기 시작했다. 걸음을 옮길 때마다 바닥의 모래와 물방울들이 다리로 튀었다. 신고 있는 슬리퍼와 바지 밑단은 점점 축축하게 젖어갔다.

나보다 약간 작은 형은 나와 함께 우산을 맞잡고 걷고 있었다. 형은 별로 키가 크지 않았지만, 내가 힘들어할 때면 자기보다 한 뼘은 더 큰 나를 안아주며 위로해 주었다. 난 그런 형에게 지금보다 훨씬 큰 사람이 되어주고 싶었다. 지금 쓰고 있는 우산처럼 형이 편히 쉴 수 있는 그런 곳 말이다.

조그마한 빗방울들이 톡톡 소리를 내며 우산 위로 떨어지고 땅 위로 흘러내렸다. 난 속으로 가만히 빌었다. 이 비가 멈추지 않기를, 계속 내리고 내려 온 세상을 물줄기로 가려주기를.

하지만 학교를 빠져나오고 얼마 지나지 않아 빗줄기는 점점 줄어들었고 곧 멈추었다.
"비 그쳤네. 나 이제 가볼게."
형은 우산 밖으로 나갔다.
"학원 잘 가고 내일 보자."
그 말과 함께 내게 손을 흔들었다. 그리고 형은 저 멀리, 내 눈에 보이지 않는 곳으로 뛰어갔다.
우산 밑에는 여전히 비에 젖은 달콤쌉쌀한 향기가 남아 있었다. 아마 형과 나의 관계는 내 생각처럼 산

산조각 난 게 아닐지도 모르겠다.

 내일 또 학교를 가야 하는 게 너무 버거웠다. 그래서
집에 엄마도 없으니 그 다음날은 학교를 가지 않았다.
그 대신 침대에만 누워서 하루를 보냈다. 눈을 뜰 때
마다 무언가의 형상이 눈앞에 살그머니 나타났고, 그
기운에 매료돼 다시 눈을 감는 것을 반복했다.

◆

 다음날이었다. 시계를 보니 8시 40분이 넘어 있었다.
난 정신없이 교복을 걸쳐 입고 학교로 뛰어갔다.
 역시나 복도엔 아무도 없었고 근처 교실에서 수업하
는 소리만이 들려오고 있었다. 난 조용한 발걸음으로
교실을 향해 걸어갔다. 그리고 한 뼘 정도 열려 있는
교실 문 사이를 조심스럽게 들여다보았다. 시간은 9시
20분이었고, 이미 수업은 시작해 있었다. 난 천천히
문을 열고 교실 안으로 들어섰다.
"이야 이성빈, 어제는 무단결석에 오늘은 지각까지? 1
교시 끝나고 쌤 잠깐만 보자."
 난 선생님을 향해 연신 고개를 꾸벅이며 내 자리로
뒷걸음질 쳤다. 반 사람들은 나를 보고 킥킥대며 웃었
다.

"야, 쌤 많이 화나셨냐?"

짝꿍의 귀에 대고 물었다. 그런데 그 애는 나와 눈이 마주치자 대답 대신 입을 틀어막으며 웃음을 참았다.

"뭐냐. 네가 드디어 미쳤구나?"

짝꿍을 향해 장난 섞인 코웃음을 치고는 고개를 돌렸다. 그리고 주위를 둘러보았다. 사람들은 내 쪽을 흘깃흘깃 쳐다보면서 옆 사람과 수군대고 있었다.

고작 내가 하루 학교 안 와서 선생님께 으름장 받는 걸로 저렇게 즐거워하다니, 다들 참 이상하다.

그런데 1,2,3,4교시 수업시간과 쉬는 시간이 지났음에도 여전히 사람들은 나를 보며 웃고 있었다. 직접 말을 걸지는 않으면서 책 사이로, 사람들 사이로 날 흘깃흘깃 쳐다보며 의미심장한 표정을 하고 있었다.

무언가가 이상했다. 결석하고 지각하는 애들은 학교 다니다 보면 자주 볼 수 있었다. 20분은 고작이었고 가끔씩 점심시간이 다 되어 등교하는 애들도 나오곤 했다. 사람들은 그런 애들에게 오히려 무관심했다. 하지만 오늘은 달랐다. 내가 학교에서 도착한 지 몇 시간이 지났음에도 주위에서는 여전히 시선이 끊이지 않았다. 수군대는 애들의 말에 귀를 기울여보면 그 사이로 내 이름과 비슷한 소리가 들려오는 것 같기도 했다.

불길한 기운이 엄습했다. 등 뒤에서 불어오는 서늘한 바람이 자기의 차갑고도 딱딱한 코를 내 머리 뒤에 가져다댔고, 연신 문질러댔다. 불쾌한 느낌을 억지로 떨쳐내면서 책을 폈다.

불길함의 씨앗은 점점 커지고 커져 형체를 가진 채로 내 앞에 나타났다.

점심시간이 되자 여러 명의 사람들 무리가 내게 다가왔다. 그리고 그 사람들은 내 자리를 둥글게 둘러쌌다. 그 사람들의 표정과 주위에서 흐르던 공기는 내가 처해있는 상황이 단순하지만은 않다는 것을 말해주고 있었다. 나를 보고 있는 그 애들의 눈은 그저께하고는 사뭇 다른 서늘함이 서려 있었다. 그 눈과는 다르게 입은 꿈틀거리면서 웃음을 참고 있었다.

그러다 그 중 한 명이 내게 더 가까이 다가오더니 말했다.

"이성빈 너 게이지."

그 순간 내 모든 것은 찢어지는 듯한 굉음과 함께 무너져 내리기 시작했다. 한성이형의 연애 사실을 알았을 때 느낀 무너짐과는 차원이 달랐다. 이건 그 말대로 내 모든 것의 나락을 의미했다.

등에서는 식은땀이 흘러내렸고, 손끝은 떨리기 시작했다. 머리는 새하얗게 비워지기 시작했고, 입은 말을 만들고 부수는 것을 반복하고 있었다.

하지만 침착해야 했다. 굉장히 이상한 지금 이 상황도, 저 애들이 했던 말도 모두 장난일지도 모른다. 항상 놀렸던 것처럼. 여기서 당황해 버리면 내가 정말 게이라고 믿어 버릴 수도 있다.

난 최대한 태연한 척을 하며 혐오스러운 벌레를 본 것 같이 얼굴을 찡그렸다.

"뭔 개소리야 지랄하지 마."

그 애들은 잠시 서로를 마주보며 고개를 끄덕였다. 그리고는 내게 더 가까이 다가왔다.

"너 3학년 정한성형 좋아하잖아."

그 순간부로 내 머릿속에는 단 하나의 생각만이 들었다.

좆됐다.

절망이 내 목덜미에 손을 가져다댔다. 더는 뺄도 박도 할 곳이 없었다. 백 번 양보해서 내가 게이라고 의심은 할 수 있다. 하지만 단순 의심만으로 내가 좋아하는 사람을 유추할 수는 없다. 난 그 누구에게도 한성이형을 좋아한다고 말한 적 없었고, 게다가 여친이 있는 한성이형을 내 애정의 대상으로 정했다는 것은 내가 게이라는 확실한 물증이 있었다는 것이다.

망치로 얻어맞은 것처럼 머리가 아파왔다. 종말의 목

소리가 내 머릿속에서 메아리쳤다. 그 목소리가 울리면 울릴수록 내 목은 점점 조이는 듯이 아파왔다. 한 손가락 한 손가락을 내 목 위에 올리며 파고들 듯이 거세게 조였다. 나는 가위라도 눌린 것처럼 더 이상 움직이지 못했다.

내 자리 앞에 서 있는 사람들은 내가 무슨 말이라도 해주기를 원하는지 날 빤히 보고 있었다. 반에 있는 모든 사람들도 함께 나를 보고 있었다.

"대답 못하는 거 보니까 진짜 아니야?

내가 아무 대답도 못하자 그 사람들은 전부 나를 비웃기 시작했다. 사람 한 명 한 명의 웃음이 모두 화살이 되어 나를 향해 날아왔다. 내 심장은 걷잡을 수 없이 빠르게 뛰었고 그와 함께 온몸은 도망치라 소리쳤다.

쾅 소리와 함께 의자가 넘어갔다.

그와 동시에 반 전체에는 시간이 멈춘 듯한 침묵이 찾아왔다. 난 내 앞에 있는 사람들 사이를 비집고 나와 밖으로 뛰쳐나갔다.

난 달리기 시작했다. 복도를 지나고 계단을 오르고 계속 달렸다. 숨이 턱 끝까지 차오를 정도로 달렸다. 이 세상을 넘어서 사라져 버릴 각오로 달렸다. 사람들을 스치고 스칠 때마다 점점 더 깊고 선명하게 느꼈기 때문이다. 내 학교생활이 끝이 났다는 사실이.

게이라는 이유만으로 왕따를 당했고, 친구들을 잃어
버렸다는 여러 사람들의 이야기들이 내 머릿속 여기
저기를 활개쳤다. 내 머릿속에 자리 잡아있는 여러 욕
들은 숨이 가빠질 때마다 내 머리에 더욱더 강하게
뿌리를 박았다. 머리가 깨질 듯이 아파왔다.

'게이랑 더러워서 같이 어떻게 사냐.'

'장애 같은 똥꼬충 새끼들'

　시시각각 머릿속에서 터져 나오는 그 말들이 내 머
리를 깰 듯이 옥죄었다.

　난 머리를 감싸며 그 자리에 주저앉았다. 얼마 뛴 것
같지도 않은데 숨은 턱 끝까지 차오른 채로 헐떡거리
고 있었고 심장은 미친 듯이 쿵쾅댔다.

　난 급히 고개를 들어 주위를 둘러보았다. 다행히 복
도에는 아무도 없었다. 그 사실을 깨닫자 조금은 편하
게 숨을 고를 수 있었다. 이게 무슨 추태인가. 아마
내 주위에 아무도 없었기에 이렇게 무방비하게 주저
앉을 수 있었을 거다.

　내 앞에는 어떤 문이 있었다. 다른 교실의 문들과는
다르게 크고 견고했다. 곧바로 알 수 있었다. 그건 밴
드실의 문이었다. 난 그 문을 열고 쓰러지듯이 안으로
들어갔다.

　밴드실은 캄캄했다. 방음시설 때문에 주위를 전부 막

아 놓아 안은 정말 암흑 그 자체였다. 평소라면 무서울 법도 했지만 오늘은 오히려 그 어둠이 편안했다. 이렇게 있으면 남은 나를 볼 수 없고, 나도 남을 볼 수 없다. 아무도 서로를 보지 않고 사는 세상이 오늘만큼은 참 이상적이었고 아름다웠다.

하지만 여기에도 완전한 어둠만이 존재하지는 않았나 보다. 밴드실 문 위에 난 작은 창문을 통해 미약한 빛이 들어오고 있었다. 난 멍하게 그 빛을 바라보았다. 언제나 어둠을 방해하는 것들은 존재하기 마련이다.

난 빛이 들어오지 않는 쪽으로 고개를 돌렸다. 어둡고 차가운 바닥만을 바라보며 엎드렸다. 그때 내 손에 무언가가 잡혔다. 길쭉하고 둥글고 차가웠다. 그냥 지나쳐도 될 법 한데 이상하게도 그것이 궁금해졌다. 난 천천히 일어나 불을 켰다.

내 손에 들려있던 것은 드럼스틱이었다. 스틱 한구석에는 어떤 이름이 쓰여 있었다.

'정한성'

형은 여기에서조차 나를 방해했다. 이미 내 모든 걸 망쳐 버렸으면서도, 내 사랑도, 내 친구관계도 다 망가뜨려 놓고서는 아직까지 뭐가 부족하다고.

알 수 없는 무언가가 마음 깊은 곳에서 끓어올랐다. 난 손에 들려있는 드럼스틱을 있는 힘껏 벽에다 던졌다. 스틱은 퍽 소리와 함께 방음벽에 부딪히더니 딸그락대는 소리를 내며 바닥으로 굴러 떨어졌다.

맥없이 바닥을 굴러다니는 스틱만을 바라보았다. 그때 밴드실 창문 근처에서 누군가의 그림자가 비쳤다. 난 고개를 돌려 문 위에 난 창문을 바라보았다. 창문 너머에 서린 그림자만 봐도 알 수 있었다. 그 앞에 있는 사람은 한성이형이었다. 형은 안으로 들어오지 않았고 창문 안쪽만을 기웃거리고 있었다. 그러다 나와 눈이 마주치자 형은 급하게 문 옆쪽으로 피했다. 그리고 더 이상 나타나지 않았다.

난 그 자리에 가만히 서서 기다렸다. 문이 다시 열릴 때까지, 문이 열리고 내 이름을 부를 때까지. 하지만 내 앞은 칠흑같이 조용할 뿐이었다. 이제 정말 모든 게 다 끝난 것이었다.

난 문이 보이지 않게 맞은편의 하얀 벽 쪽으로 돌아섰다. 그리고 뼈가 저릴 정도로 깨달았다. 뼈를 넘어서 심장 안쪽까지도 끔찍하게 저려 올 정도로 깨달았다. 나는 형도 잃고 말았다. 내가 그동안 피를 내고 뼈가 부러지면서 쌓아오고 만들어왔던 그 모든 것들은 오늘 무너졌다. 고작 사실 하나 때문에. 나는 이 세상이 혐오하는 끔찍한 조각 하나를 가지고 있었다. 그 조각이 제 자리를 넘어버린 바람에 내가 만든 모든 것이 무너졌다.

가슴을 쓸어내리면서 받아들일 수밖에 없었다. 이미 엎어진 물이었다.

이제부터 무너진 잔해들 사이에서 살아나가야 했다. 그래도 어렸을 때 해 보았던 것이니, 기억을 되짚어 가며 살아가는 법을 복습하면 되는 것이다. 소매로 코를 슥 닦으며 마음속에 새겼다. 모두가 날 혐오하고 더 이상 한성이형도 그 누구도 만날 수 없는 원초의 세계로 돌아와 있다는 것을.

잠시 세상에서 벗어나는 것은 가능하지만 완전히 그럴 수는 없다. 세상으로 돌아가야 할 때는 언젠가 찾아오고 만다. 난 연신 마른세수를 하고는 밴드실 문을 열었다.

아래로 내려올수록 점점 무거워지는 발과 함께 반에 도착했다. 내가 들어옴과 동시에 반 안은 갑작스럽게 조용해졌다. 하지만 얼마 지나지 않아 별것도 아니라는 듯이 다시 소란스러워졌다.

지금이라도 게이가 아니라며 부인할 수 있었다. 하지만 이미 엎질러진 물에서 거짓말도 아닌 사실을 부인해봤자 바뀌는 건 없을 것이다. 난 책상 위로 쓰러지듯이 누웠다.

그 뒤 잠에 들었던 것 같다. 눈을 떠 보니 수업은 이미 시작해 있었다. 그럼에도 난 책상에서 일어나지 않왔다. 수업은 귀로 잘 듣고 있었고, 무엇보다 이렇게 있는 것이 편했다.

문득 내 머릿속으로 의문 하나가 흘러들어왔다.

나는 그 누구에게도 내가 게이라는 사실을 알려준 적이 없었다. 그리고 사람들이 감히 추측도 해보지 못하도록 노력했다. 연애는 하지 않아도 여자 연예인들에게 열렬한 관심을 보여주었고, 여자 이상형 얘기도 해 주었다. 그 외에도 여러 노력을 하며 필사적으로 숨겨왔다. 그런데 사람들은 도대체 어떻게 내가 게이라는 사실을 알게 되었을까.

어쩌면 한성이형이 내 마음을 눈치 챘던 것 일수도 있다. 하지만 불과 그저께까지만 해도 우린 평소처럼 잘 지냈고, 만약 눈치를 챘더라도 한성이형은 그 사실을 남에게 말할 사람은 아니었다,

그 순간 한 사람이 내 머릿속을 스치고 지나갔다.

내가 처음으로 커밍아웃을 한 사람, 내 비밀을 알고 있는 유일한 사람. 바로 장유은.

속에서 빨간 벌레 같은 것이 꿈틀대기 시작했다. 사건의 전말이 풀려갈 때마다, 유은이와 같이 했던 모든 것들을 다시 되새길 때마다 그 꿈틀거림은 점차 더 심해져갔다. 회상 속의 시간이 지금 이 현재에 도달하

자 내 속은 배배 꼬이는 듯이 아파왔다. 애써 힘을 주어 뱉었던 첫 커밍아웃, 한성이형과 함께 있는 모습을 보았을 때 느꼈던 허무감과 같은 모든 것들이 꼬이고 꼬여 내 뱃속을 강하게 조였다.

난 손톱으로 책상 위를 긁어내리며 이를 꽉 깨물었다. 그 애를 믿었던 내가 바보였다.

학교가 끝나자 수업시간까지의 고요함은 어디 갔는지 교실은 곧바로 시끄러워졌다. 접혀있는 귀 속으로 시끄럽게 떠들며 교실 밖으로 나가는 사람들의 소리가 들려왔다.

하지만 난 움직이지 않았다. 하교시간이 되었고 집에 가야 했지만 저 많은 사람들 앞에서 움직이고 싶지 않았다. 사람들은 내 옆을 지나가며 무어라 수군거렸다. 난 그 말들을 애써 무시하며 째깍째깍 움직이는 초침을 세며 기다렸다.

얼마 지나지 않아 사람들의 소리는 금세 사그라졌고, 오늘의 청소당번만이 교실 안에 남아 있었다. 얼마 지나지 않아 그들도 불평을 구시렁대며 밖으로 나갔다.

그제야 난 자리에서 일어났다. 한동안 굽어 있던 척추는 우두둑대는 소리를 내며 제 모습을 드러냈고, 그 밑의 등과 허리는 뭉친 듯이 아파왔다. 난 뻣뻣하게 굳은 듯한 몸으로 가방을 짊어지고 앞문을 향해 걸어갔다.

하지만 모든 사람이 떠난 것이 아니었다.

앞문 앞에 유은이가 서 있었다. 참으로 원망스러운 얼굴을 하고 있는 그 애는 쭈뼛거리며 내 앞으로 다가왔다. 그리고 날 향해 어색한 웃음을 지으며 물었다.

"괜찮아?

그 애는 그리고 내게 손 하나를 내밀었다. 그 안에는 사탕 하나가 들어 있었다. 어이가 없어서 말조차 나오지 않았다. 그 애는 손에 구겨진 사탕을 들고 버려진 개를 보는 것과 같은 눈으로 나를 보고 있었다.

역겨웠다. 너무 기가 막혀서 헛웃음조차 나오지 않았다. 너는 내 모든 불행의 원인이었다.

내 모든 것을 망쳐 놨으면서 아무것도 모른다는 듯이 웃고 있는 모습이 참 어처구니없었다. 순진해 보이는 미소를 얼굴에 잔뜩 짓고 있었으면서 구역질이 나올 정도로 더러운 속을 가지고 있었다. 내가 한성이형을 좋아하는 걸 알고 있었으면서 보란 듯이 형을 꼬시고, 그것도 모자라 나를 아웃팅까지 시켰다.

도대체 어떤 마음을 가지고 있기에 나를 이렇게까지 괴롭히는지 도저히 이해할 수 없었다. 내가 도대체 무엇을 잘못했기에.

심지어 자기 자신은 예전에 아웃팅 당해서 힘들었다

며 내게 돼지처럼 울고불고 소리쳤다, 근데 지금은 자기가 당했던 걸 잊기라도 했는지 내게 똑같은 짓을 저질렀다. 아웃팅이 어떤 기분인지 다 알고 있었으면서, 자기의 고통을 이런 식으로라도 풀어야 했던 걸까, 그런 저 애의 뻔뻔한 이중성이 정말 보기 싫었다.

아직도 저 애는 내게 손을 내밀고 있었다. 자기는 한성이형도, 다른 것도 다 가졌으니 모든 걸 잃은 불쌍한 나를 연민하는 것이다.

저 애의 팔을 비틀어 버리고 싶었다. 내가 겪는 것의 반도 못되는 고통이었지만, 그럼에도 보고 싶었다. 고통에 차서 울부짖는 모습을, 모든 걸 잃어버려서 괴로워하는 모습을.

난 그 애가 들고 있던 사탕을 바닥으로 내리쳤다. 그리고 확신하고 싶지 않은 의심으로 물었다.

"너냐?"

그러자 유은이는 놀란 듯이 눈을 크게 뜨더니 손을 내리며 주춤했다. 의심은 이제 확신이 되었다. 저 애가 범인이 맞았다.

"너냐고, 나 게이인거 말한 사람. 내가 게이인거 아는 사람은 너밖에 없어."

유은이는 여전히 날 쳐다보고 있었지만 그 옹졸한 입에서는 어떤 말도 나오지 않았다.

허무했다. 그동안 도대체 무엇을 무슨 목적을 위해서

저 애와 함께했던 것일까. 처음엔 좋은 애인 줄 알았다. 그래서 같이 놀고, 퀴퍼도 같이 가고, 방학에 만나서 놀았고, 첫 커밍아웃도 했다. 난 유은이를 믿었다. 그 애라면 뭔가 다를 줄 알았다. 하지만 모두 내 헛된 기대였다. 유은이도 다른 사람들과 똑같았다.

배신감이 밀려왔다. 저 애는 보란 듯한 웃음으로 나를 착각에 빠지게 만들었고 방심한 틈에 나의 가장 무른 곳을 정통으로 때렸다.

장유은 너 때문에 내 학교생활이 무너진 거다. 너 때문에 한성이형을 더 이상 만나지 못하게 되었고, 네가 한성이형에게 내가 게이라는 걸 말해 버려서 나의 모든 것이 망가진 거다. 그동안 저 애를 믿었던 내가 너무 병신 같았다.

내 안에 있는 빨간 벌레는 미친 듯이 꿈틀댔다. 더 이상 그것을 막을 수는 없었다. 막고 싶지도 않았다. 끝내 그것은 내 밖으로 미칠 듯이 꿈틀대는 몸뚱이를 뿜어냈다.

"씨발 너도 아웃팅 당한 기분 알잖아! 알면서 나한테 이래? 니넌은 언제까지고 안전할 것 같아?"

온몸이 부들부들 떨려왔고 목에서는 피 맛이 났다.

유은이는 여전히 바닥을 보고 있었다.

"미안해."

그 좆같던 침묵 사이에서 뱉어낸 것은 저 말 한마디 뿐이었다. 바닥을 보고 있는 유은이의 눈에는 눈물이 맺혀 있었다. 뭘 잘했다고 저렇게 우는 건지 도저히 이해할 수가 없었다.

"넌 진짜 왜 그러는 거냐."

그 말을 마지막으로 난 유은이를 밀치고 계단 아래로 뛰어 내려갔다. 저런 애랑은 더 이상 말도 섞고 싶지 않았다.

이 세상 모든 게 원망스러웠다. 아웃팅이 얼마나 힘든지 잘 알고 있으면서도 날 아웃팅 시킨 유은이가 싫었고, 날 동물원의 원숭이 보듯이 쳐다보며 수군대던 사람들도 너무 혐오스러웠다.

난 있는 힘껏 계단 난간을 발로 찼다. 철이 지르는 텅 빈 비명소리가 메아리치며 계단에 울려 퍼졌다. 욕이 나올 정도로 발이 아팠다. 계단에 울려 퍼지는 소리와 내 발이 아픈 것조차도 다 원망스러웠다.

학교를 나오고 나서도 계속 걸었다. 누군가와 부딪쳐도 돌아보지 않았다. 사람이 걸어가는 것도 차가 지나가는 것도 이젠 다 상관없었다. 이 세상을 빠져나가기라도 할 기세로 계속 걸었다.

멈추지 않을 것만 같던 내 발이 날 이끈 곳은 야속

하게도 형과 항상 함께 왔던 디저트카페였다. 날 이곳으로 이끈 내 몸이 참 원망스러웠다. 저딴 디저트가 뭐가 맛있다고 여기 온 건지.

카페의 갈색 벽과 하얀 가구들은 변한 것 없이 그대로였다. 항상 그랬던 듯이 조용한 음악과 함께 단 냄새가 흐르고 있었다.

난 가게 문을 열고 들어가 형과 항상 함께 앉았던 구석자리로 갔다. 그리고 끈적끈적한 테이블 위에 엎드렸다. 주위에서 흐르는 냄새도, 형과 함께 앉던 자리도 그대로였지만 형만 여기에 없었다. 내 앞에는 아무도 없는 텅 빈 의자만이 자리를 지키고 있을 뿐이었다.

형 구해줘, 형이 필요해. 나 정말 형이 없으면 안 될 것 같아. 형은 정말 내가 더 이상 필요 없는 거야?

수백 번 되새기고 되뇌었다. 하지만 이제 그 말에 대답해줄 사람은 없었다. 도착지 없는 말들만이 내 머릿속에서 계속 맴돌 뿐이었다.

우리 둘의 서로를 향한 마음은 달라도 너무 달랐다. 형의 나를 향한 마음은 포크처럼 가벼웠고, 음료 위에 올라와있는 거품처럼 얇았다. 그에 비한 내 마음은 건물을 이루는 콘크리트처럼 너무 무겁고 짙었다. 무거운 것으로 얇은 것을 건드리면 어떻게 되는지 알고 있다. 깨져 버린다.

나는 내가 가지지 않은 것만을 볼 줄 알았다. 그래서 계속 욕심을 가지고 바라고 갈망하기만 했다. 이미 내 옆에 형이 있는지도 모르고. 그렇게 결국 난 형이 내 곁을 떠나게 만들었다. 형과 함께하던 사소한 시간들의 소중함을 모르고 있었다. 형과 게임을 하고, 같이 카페에서 간식을 먹고, 드럼레슨을 받았던 그 모든 시간들이 얼마나 값진 것이었는지를 모르고 있었다.

결국 모든 것이 끝난 지금, 형이 없는 내 앞의 빈자리만을 끝없이 바라본다. 난 소중한 것을 잃어야지만 그 가치를 비로소 깨닫게 되는 어리석은 놈이었다.

형이 떠난 지금, 이젠 나 혼자 여기 앉아 있다. 눈앞에는 좋아하지도 않던 과일 푸딩을 두고.

ㄴ 형 뭐해?

주머니 속에서 차가워진 휴대폰을 꺼내 형에게 메시지를 보냈다.

시간이 지나도 메시지를 읽지 않았다는 '1'표시는 사라지지 않았다. 십 분이 지나도 답이 없었고, 한 시간이 지나도 답장은 없을 것이었다. 예전의 형은 내가 메시지를 보내면 바로 읽어주었는데, 이젠 아니었다. 이제 나는 형에게 중요한 존재가 아니었다.

오지 않을 답장을 기다리며 형의 인스타그램에 들어

갔다. 유은이와 함께 찍은 사진은 여전히 그 자리에 그대로 있었다. 사진 속에서 형의 손을 잡고 있는 건 내가 아니었다. 형은 유은이의 손을 잡고 있었다.

난 사진 속의 한성이형의 얼굴을 크게 확대했다. 바보 같은 형은 여전히 예뻤다.

눈물이 흘렀다. 눈알이 빠질 정도로 얼굴을 세게 부여잡았다. 이렇게 하면 항상 눈물이 멈추었다. 하지만 오늘은 달랐다. 제멋대로 움직이는 내 몸은 눈물을 멈추지 않았다. 축축해진 손으로 얼굴을 더 세게 쥐면서 바닥으로 고개를 떨어트렸다.

그리고 얼마 뒤, 직원이 아까 시킨 자몽 푸딩 하나를 들고 왔다. 바닥에 엎드려 있는 내 눈치를 살피며 조심스레 푸딩을 테이블 위에 놓더니 이내 재빠르게 사라졌다. 내 앞에는 자몽 푸딩 하나만이 홀로 놓여 있었다. 난 그 푸딩을 한 스푼 떠 입에 넣었다. 더럽게 맛없었다. 자몽은 쓰고 푸딩은 달기만 했다. 그럼에도 먹는 것을 멈추지 않았다. 입 안에 여전히 푸딩이 남아 있었음에도 멈추지 않았다. 한 스푼, 두 스푼씩 계속 입 안에 밀어 넣었다. 입 안이 꽉 채워져 더 이상 먹을 수 없을 때까지 밀어 넣었다.

더 이상 푸딩이 달지 않았다. 이 정도 먹었으면 분명 달아야 했는데 그 안에 뭐가 섞이기라도 했는지 짠맛이 났다.

난 다시 핸드폰을 꺼내들어 형에게 보내는 메신저를 켰다.

이젠 더 이상 형을 찾지 않을게_

하지만 끝내 전송 버튼을 누르지 않았다. 핸드폰에 쓰여 있던 검은 글자는 하나둘씩 하얀 공백 속으로 소멸되었다.

이제 날 움직이게 했던 밝은 빛은 사라졌다. 그 빛은 마음속에서 정성스레 키우던 꽃에게 잡아먹혀 버렸고, 이내 소화되어 발광하는 것을 멈추었다.

이제 내 주위에 남은 건 검은 어둠뿐이었다. 눈을 감을 때마다 어렴풋이 비치는 빛의 잔해만을 바라보며 난 어둠 속에서 곪아갔다.

◆

해가 지고 난 뒤의 차가운 공기가 거리를 나돌고 있었다.

집에 도착하니 엄마가 빈 식탁에 앉아 날 기다리고 있었다. 그리고 엄마는 사뭇 단호한 목소리로 내 이름을 불렀다.

"성빈아."

나는 발걸음을 멈추고 엄마를 바라보았다. 엄마의 말투를 보니 무슨 일이 있다는 것을 알 수 있었다.

엄마도 내가 게이라는 것을 알게 된 거다. 반의 모든 애들이 알고 있으면 쌤도 알 확률이 높고, 그 사실을 엄마한테 말하는 것도 무리는 아니다.

그렇지만 엄마는 절실한 기독교인이다. 거의 10년 가까이 교회를 다니셨고, 그쪽에서의 지위도 꽤나 높은 것처럼 보였다. 그러니 예전에 교회에서 들었던 설교처럼 엄마도 동성애자를 혐오할 것이었다. 그나마 있는 유일한 가족이 엄마인데, 엄마에게까지 버림받는다면 어떻게 될지 상상조차 가지 않았다.

그런데 그 뒤에 나온 말은 내 예상과는 사뭇 달랐다. 엄마의 입에서 나온 것은 다름 아닌 사과였다.

"성빈아, 엄마가 요즘 많이 소홀했지? 미안해."

엄마답지 않았다. 엄마가 내게 저런 반성 어린 사과를 하는 것을 태어나서 한 번도 본 적 없었다.

"하고 싶은 말이 뭐야?"

그 자리에 가만히 서서 엄마를 똑바로 쳐다보며 물었다. 무조건 무슨 이유가 있을 것이다.

"미리 말 못해서 미안해. 엄마 일 때문에 우리 내년부터 호주에서 살아야 해."

갑작스러워도 너무 갑작스러웠다. 난 떨리는 입으로 엄마에게 다시 물었다. 하지만 돌아오는 대답은 내년부터 한국 말고 호주에서 살아가야 한다는 말 뿐이었다.

당황스러우면서도 실감이 가지 않았다. 내년부터 이 나라를 떠나 완전히 다른 땅에서 살아가야 했고, 어쩌면 남은 학창시절 전부를 그곳에서 보낼 수도 있었다.

그런데 오히려 후련한 기분이 들었다. 이 땅에선 매일을 긴장하면서 살아야 했다. 내 가장 큰 비밀이 드러나서 절망해야 했고, 다시 생존의 시대로 돌아가야 했다. 그런데 그런 이곳을 내년이면 떠나게 된다. 기쁨인지 절망인지 뭐라 말 할 수 없는 이 기분을 느끼기도 잠시 엄마가 다시 말을 꺼냈다.

"호주에 가면 지금보단 너랑 있을 시간이 더 많아질 거야. 그동안이랑은 다르게."

난 가만히 고개를 끄덕였다. 그 말이 진심인지는 모르겠으나 받아들일 수밖에 없었다.

그리고 엄마는 다시 입을 열었다. 그런데 엄마의 눈은 방금 전까지와는 사뭇 다른 모습을 하고 있었다.

"성빈아, 혹시 엄마에게 더 할 말 없니?"

엄마의 표정은 진지했다. 엄마의 눈이 내 깊은 곳까지 들여다보고 있다는 느낌을 받았다. 같이 있던 적도 얼마 없는 주제에 가족이 뭐라고 이런 느낌이 드는지 모르겠다.

엄마는 알고 있었을 것이다. 그저 내 입으로 말하기를 바랄 뿐인 거다.

그리고 이미 다 알고 있으니 내 입으로 말해도 변하는 건 없을 것이다. 내 비밀을 꽁꽁 감싸고 있던 실은 풀어졌고 이제 더 이상 돌이킬 수 없었다.

"엄마 나 사실 게이야."

엄마의 눈동자는 흔들리기 시작했다. 평정심을 지킬 수 없게 된 표정이 얼굴에 역력했다.

"알고 있었지?"

내 질문에 엄마는 떨리는 입을 열었다. 무슨 말이라도 해줄 줄 알았지만 끝내 깊은 한숨만이 흘러나왔다.

이상하겠지, 악마 같겠지, 받아들일 수 없겠지.

난 고개를 숙이고 있는 엄마를 뒤로하고 내 방에 들어갔다. 난 도대체 무엇을 바랬던 걸까.

문 밖에서 엄마가 흐느끼는 소리가 들려왔다. 엄마도 참 배신감이 클 거다. 독실한 하느님의 신자로 살아왔건만 자기 아들이 죄인이었다니. 그냥 말하지 않는 편이 더 나았을지도 모르겠다. 그럼 적어도 엄마하고는 잘 지낼 수 있었는데.

난 내 책상 옆의 창문을 열었다. 그리고 안으로 고개를 완전히 내밀었다. 창 아래의 도로에는 차들이 빠르게 지나다니고 있었다. 그 사이로 드문드문 보이는 나무들은 피를 칠한 듯이 붉게 물들어 있었다. 창밖으로 몸을 더 내밀었다. 이제 목과 어깨까지 창밖으로 나와 있었다. 다른 사람들에게는 미친놈처럼 보일 것이었다. 그래도 괜찮았다. 이 세상에서 난 이미 미친놈이었으니.

 가을은 차가운 계절이라고. 어느새 추워진 바람에 머리카락이 흩날렸다. 펄럭이는 옷 사이로 들어온 바람이 사무치게 추웠다. 차들은 여전히 도로를 씽씽 달리고 있었고, 사람들은 바닥을 바라보며 걷고 있었다. 그 누구도 이 위에 있는 나를 보지 않았다. 마음속으로 내가 여기 있다며 아무리 외쳐도 돌아보는 사람은 없었다. 난 나를 흘깃흘깃 쳐다보던 사람들의 눈과 같이 징그럽고 요란스러운 길바닥을 향해 고개를 숙였다.

 칼날처럼 차가운 바람이 밖에서 여전히 불어오고 있었다. 이제는 건조해진 바람에 코끝이 아려왔다. 그리고 나는 눈을 감았다. 퍽 소리와 함께 바닥에 걸레짝처럼 널브러졌다.

 나를 진정으로 아껴 주었던 사람은 아무도 없었던 걸까. 내 친구였던 사람은 아무도 없었던 걸까.

 손끝에 닿는 딱딱한 바닥을 어루만졌다. 냉랭한 공기만이 내 손가락 사이를 지나다닐 뿐이었다. 차가운 바닥에 등을 대고 돌아누워 다시 눈물을 흘렸다.

 그때, 한 조각의 기억이 떠올랐다. 이번 여름 그 뜨거웠던 퀴어퍼레이드에서였다.

"퀴어친구 하나 생겼네?"

그리고 그 말과 함께하던 때 묻지 않은 웃음까지.

내 기억 속에 떠오른 사람은 그 사람 하나뿐이었다.

한성이형도, 그 누구도 아니었다.

처음으로 커밍아웃을 했던 사람, 바로 장유은이었다.

되돌아오다

여름은 어느새 지나가버렸다. 언제까지고 푸른 생명들을 뿜어낼 것 같던 나무들은 하나둘씩 가지를 숙여가며 빨갛고 노란 이파리를 내보이기 시작했다.

잊지 못할 정도로 뜨거웠던 그날 밤 이후, 나와 한성은 그 누구보다도 가까운 사이가 되었다.

그날 이후로 한성은 매일 아침마다 내게 전화를 걸었다. 하얀 햇살을 맞으며 멍하니 누워 있다 보면 한성만의 특별한 전화벨 소리가 아침의 정적을 깨며 울려왔다. 그리고 내가 가장 바라는 말을 건넸다.

"잘 잤어? 혹시 괜찮으면 오늘 만날래?"

우린 항상 학교 앞에서 만났다. 뜀박질하는 마음을 잠재우면서 보도블록을 따라 빙빙 돌고 있으면 어느새 나타난 한성이 내 어깨를 두드렸다. 그러면 난 한성이 내민 손을 꼭 잡았다.

하늘에 떠 있는 구름들과 주변의 푸른 나무들은 우
릴 향해 노래를 불러주었고, 맞잡은 한성의 손에서는
다른 무언가로는 채울 수 없을 듯한 포근함이 느껴졌
다.

◆

어느새 9월이 되었고 학교는 개학을 맞았다. 얼마 전
까지만 해도 조용했던 학교는 다시 학생들의 활기찬
웃음소리로 가득 찼다.

난 오랜만에 만나는 중앙 현관을 지나 계단을 올라
갔다. 계단 옆 벽면에는 때가 지난 홍보물들이 덕지덕
지 붙어 있었다.

한동안 만나지 못했던 우리 교실 안으로 걸어 들어
갔다. 교실 앞면에 있는 혜은이의 책상에 내 친구들이
모여 있었다. 난 친구들에게 손을 흔들었다.
"방학 잘 보냈어?"

그러자 친구들도 나를 향해 손을 흔들어주었다. 그렇
게 짧은 인사를 건네고 가방을 두러 내 자리로 향했
다. 아무것도 올려져있지 않은 책상 위에는 하얀 먼지
만이 앉아 있었다. 손으로 그 위의 먼지를 대충 쓸어

낸 뒤 가방을 내려놓았다. 그리고 친구들에게 다시 걸어갔다.

우리는 서로의 방학 이야기를 나누며 한참동안 웃고 있었다. 그러던 중 갑자기 혜은이가 내 뒤쪽을 슥 보더니 다른 애들과 눈빛을 교환하며 의미심장한 웃음을 지었다. 뒤에 이상한 거라도 있나 싶어 고개를 갸우뚱거리며 뒤를 돌아보았다.

그 자리에는 한성이 있었다. 나와 눈이 마주치자 한성은 부드러운 눈웃음을 지었다. 그 웃음이 너무 아름다워서 저절로 미소가 지어졌다. 한성은 의자에 올라와 있는 내 손을 잡았다. 한성의 손길이 가는 곳을 따라 흐르는 달콤한 향기가 내 코를 간질였다.

난 친구들에게 손을 흔들고 한성을 따라 교실 밖으로 나갔다. 그리고 한성과 손을 맞잡은 채로 길고 긴 복도를 걸었다.

매번 느끼는 것이지만 한성과 함께 있는 이 순간이 정말 꿈만 같았다. 어쩌다 한성을 만나게 되고, 싫어했다가 좋아하게 되고, 계절이 바뀌는 것 같이 느린 듯 하면서도 돌아보면 많은 게 바뀌어 있는 우리의 관계가 참 믿기지 않았다.

한성의 손은 약간 따뜻했다. 난 그 손을 더 꽉 잡았다. 그러자 한성은 약간 놀란 듯한 눈으로 날 바라보았다. 난 그 얼굴을 바라보며 살짝 웃었다. 오늘따라 복도의 냄새가 유난히 달콤했다.

그때 뒤에서 누군가가 한성의 어깨를 두드렸다.

처음 보는 사람이었다. 한성은 그 사람을 내 앞으로 데리고 오더니 자기 반 친구라고 설명했다. 그 친구는 내게 가볍게 고개를 끄덕이면서 인사하고는 한성에게 물었다.

"혹시 너 여친이야?"

한성은 내 손목을 잡고 날 자기 쪽으로 끌어당겼다. 그리고 말했다.

"응, 내 여친이야."

난 한성의 '여친'이었다. 한성의 사람이 된 것이 너무나도 행복했지만 이 단어에는 웃을 수가 없었다. 한성은 나를 보며 미소를 짓고 있었지만 난 따라 웃지 않았다. 여자로 불릴 때마다 느꼈던 그 지긋지긋한 불쾌감이 다시 나를 찾아왔다.

물론 한성은 아무것도 모른다. 내가 말한 적 없었으니 한성도 내가 논바이너리라는 것을 알 리가 없었다. 한성은 당연히 날 여자로 생각하고 있었다. 그리고 난 그 사실을 잘 알고 있었지만, 별로 기분이 좋지 않았다.

내 표정이 약간 굳어 있었는지 한성은 내게 괜찮은지 물었다. 난 애써 웃으며 괜찮다고 대답했다.

항상 여자였다. 모든 사람들에게 난 여자였다. 법적으로 난 여자였고, 학교에서도 여자였고, 집 안에서도 여자였다. 난 이 세상이 만든 성별이라는 틀 안에 언제나 갇혀 살 수밖에 없었다. 아무리 피하려고 해도 해도 여자가 되어야 하는 일은 언제나 나에게 찾아왔다. 그리고 난 언제나 그것에 불쾌함을 느꼈다.

그렇다고 해서 커밍아웃을 할 수도 없었다. 마음 같아서는 편하게 털어놓고 싶었지만, 이 세상은 나와 같은 사람들을 받아들이지 않았다. 세상은 남자와 여자만이 있는 것이 당연하다고 말하며, 그것과 다른 이야기를 하는 사람들을 모두 침묵하게 만들었다.

성별이란 이름표는 우리의 삶의 모든 곳에 침투해서 우리의 모든 것을 남모르게 규정시켰다. 입어야 하는 옷, 좋아해야 하는 것, 사회에서 하는 역할 등등의 모든 것들을 전부다 건드렸다.

사실 그것들은 우리 몸에다 붙인 단순한 이름표일 뿐인데, 사람들은 그 작은 조각 위에다 수많은 것들을 쌓아 올렸다. 그리고 허울뿐인 그것들이 마치 신이라도 된다는 것 마냥 고개를 숙였다. 그것들이 우리 자신의 삶을 억누르고 있는지도 모르고 우린 살아가고 있었다.

그저 존재하기만 하는 내 몸 때문에 내 삶의 방향과 내 겉모습들은 모조리 규정 당했다. 나는 그저 나로 살아가고 싶었다. 여성으로 부여받고 여성으로 살아가고 싶지 않았다. 태어날 때부터 세상이 내게 새겨 놓았던 이름표들을 떼어내고 싶었다.

가끔씩 밤이 되면 생각한다. 애초에 성별이라는 게 없었으면 모두 편하지 않았을까 하고. 그 무엇도 되지 않고 그냥 나, 나로서 살아갈 수는 없었을까 하고.

내 옆에 서 있는 한성을 바라보았다. 세상에서 벗어나고 싶다고 아무리 생각을 해도, 내가 살아있는 한 세상은 내 옆에 있었다.

한성은 내게 그 누구보다 다정한 미소를 지어주었다. 하지만 내가 세상과 조금 다른 생각을 가지고 있다는 것을 알게 된다면 다시는 내게 웃어주지 않을 것만 같았다. 이대영이 그랬던 것처럼.

그러니 특히 한성에게는 절대 말할 수 없었다. 아무리 불편해도 꾹 참을 수밖에 없었다.

1교시 시작종이 울리자 우리는 학교가 끝난 뒤에 다시 만나자는 약속을 잡고 각자의 반으로 돌아갔다.

◆

학교가 끝나자마자 난 서둘러 가방을 들쳐 메고 계

단 아래로 내려갔다. 수업시간 내내 기다리던 한성을 이제 드디어 만날 수 있었다.

한성은 중앙현관 앞에서 날 기다리고 있었다. 오후의 햇살이 현관을 비추고 있었고, 그 가운데에 한성이 서 있었다. 그래서 그 빛이 마치 한성에게서 뿜어져 나오는 것만 같았다.

난 웃으며 한성에게 다가갔다. 그러자 한성도 나를 향해 다가왔고, 조심스럽게 내 손을 잡았다. 그리고 작은 목소리로 말했다.

"소개해주고 싶은 곳이 있어. 나한테 정말 소중한 사람만 데려가는 곳이야."

한성은 내 손을 잡은 채로 앞장서서 걸어갔다. 난 엄마를 따라가는 아기오리처럼 한성의 뒤를 졸졸 따라갔다.

한성이 날 데리고 온 곳은 어떤 카페였다. 시내 구석에 조그맣게 있는 곳이었다. 그 카페의 유리창에 걸려 있는 하늘하늘한 흰색 커튼은 주변에 부드럽고 온화한 분위기를 주었다. 문을 열자 문 위에 달려있는 작은 종이 맑은 소리를 내며 울었다. 한성은 내가 들어올 수 있도록 문을 잡아 주었고, 나는 재빨리 한성의 팔 밑을 지나 카페 안으로 들어갔다.

카페 안은 마치 빵 냄새 방향제를 둔 것만 같이 곳곳에 고소한 냄새가 배여 있었다. 나는 한성을 따라

카페의 가장 구석진 자리에 앉았다. 자리 옆의 창문에서 들어오는 햇빛이 테이블 위를 물결치듯 비추고 있었다.

난 테이블 위에 있는 메뉴판을 집어 들었다. 한성은 메뉴판을 보지도 않고 자몽 푸딩을 시킨다고 말했고, 나도 한성을 따라 같이 먹을 **빵** 하나와 푸딩 하나를 시켰다.

주문하고 얼마 지나지 않아 점원이 메뉴를 가지고 우리에게로 왔다. 그러자 한성은 점원에게 고개를 꾸벅 숙이며 감사인사를 했다. 나도 한성을 따라 고개를 꾸벅였다. 한성은 나름 매너가 있는 사람이었다. 투명한 푸딩 위를 햇빛이 비추고 있었다. 그 모습은 마치 예쁜 유리공예 같았다. 난 푸딩을 한 스푼 크게 떴고 한성도 마찬가지였다. 그리고 우린 동시에 푸딩을 입 안에 넣었다. 새콤달콤한 맛이 온 입을 감쌌다.

난 입 안의 푸딩을 감상하면서 한성을 바라보았다. 한성은 맛있다는 듯한 추임새를 내며 푸딩을 음미하고 있었다. 쳐다보는 내 시선을 알아채자 한성은 스푼을 입에 물고는 내 쪽으로 눈을 돌렸다. 그리고 나와 눈이 마주치자 초승달 같이 수려한 눈웃음을 지었다.

우린 천천히 디저트를 먹으면서 사소하고 단순한 대화들을 나누었다. 대화 주제가 무엇이든, 어디 있든 상관없었다. 별이 가득한 밤하늘같이 아름다운 한성의 눈을 바라볼 수 있다는 사실만으로 난 행복했다.

◆

하나 기억에 남는 날이 있다. 특별한 일이 있었던 건 아니지만 그때의 날씨, 풍경 같은 주위의 모든 것들이 전부 조화를 이루며 아름다웠던 날이 있었다.

그때는 여름방학이 거의 끝날 즈음이었다. 난 그날도 어김없이 한성에게 전화를 걸었다. 그리고 물었다.

"우리 집 앞 하천에 갈래?"

그날 아침, 잠시 뭘 사기 위해 집 앞 하천 근처에 있는 편의점에 갔다. 살 것을 사고 편의점을 나왔는데, 편의점 뒷면의 난간 너머에서 흐르던 하천이 눈에 들어왔다. 하천 주위에서 흩날리는 풀들과 바람을 타고 날아다니는 버드나무 잎들, 물 너머에 비치는 윤슬은 그 순간 내 마음 속에 한 폭의 그림처럼 새겨졌다.

한 때 굉장히 좋아하던 곳이었는데, 요즘에는 잘 가지 않았다. 더 이상 그 하천에 가지 않으려고 했는데, 이상하게도 편의점에서 본 하천의 모습이 머릿속에서 잘 지워지지 않았다. 마치 그 안에 중요한 것이라도 숨겨져 있는 것처럼. 그래서 한성에게 하천에 가자고 제안했던 것이었다.

한성은 그쪽으로 가겠다고 대답했고, 나도 한성의 집

이 있는 학교 쪽으로 향했다. 그렇다면 우린 아마 '향기의 다리'에서 만날 것이었다. 학교와 우리 집 중간 쯤에 육교가 하나 있다. 그 육교의 난간에는 자주색 나팔꽃들이 잔뜩 피어 있었다. 그래서 그 위를 지나갈 때면 꽃향기가 코를 맴도는 것을 느낄 수 있었다.

예전에 한성이 날 집에 데려다주기 위해 이 육교를 건너면서 말했다.

"육교가 이렇게나 향기롭다니, 이제부터 여기는 향기의 다리야."

그날부터 나와 한성에게는 이 육교가 향기의 다리가 된 것이었다.

내 예상대로 향기의 다리에서 한성을 마주쳤다. 우린 약속한 듯이 서로의 손을 잡았다. 그리고 내가 이끄는 걸음을 따라 하천으로 향했다.

하천 근처에 도착하자 약간 비릿한 물 냄새가 주위에서 났다. 하천이 있는 골짜기 옆으로는 인도와 자전거도로가 나란히 뻗어나가고 있었다. 그 길을 따라가자 얼마 지나지 않아 하천으로 내려가는 돌계단이 나왔다. 계단 앞에 서서 아래를 내려다보니 아까 편의점에서 보았던 하천의 풍경이 눈앞에 훤히 펼쳐졌다.

그리고 한성과 함께 계단을 내려가기 시작했다. 둑위에 있는 계단이어서 그런지 많이 가팔랐다. 한성은 조심하라고 말한 뒤 내 손을 더 꽉 잡았다.

 하천 옆의 흙길을 따라 크고 작은 들꽃들이 피어 있었다. 그리고 초록빛의 나무들이 그 사이에 드문드문 있었다. 하천 변에는 초록빛의 부들들이 잔뜩 만개해 바람을 타고 흔들리고 있었다. 왼편에서는 졸졸졸 흐르는 물소리가 들려왔고, 물을 머금어 습한 바람이 귓가에 불어왔다.

 하천 냄새와 함께 풍기는 한성의 향을 맡으며 천천히 걸었다. 한성에게서 평소와는 조금 다른 냄새가 나고 있었다. 매일 뿌리던 향수의 냄새가 나지 않았고, 그것과는 많이 다른 약한 풀 냄새가 나고 있었다.

 시중에 파는 향수랑은 다른 느낌이었다. 한성의 조금 더 깊은 곳에서 나는 인간적인 냄새였다. 이 향이야말로 아무 치장 없는 한성 본연의 것일지도 모른다. 정확히 알 수는 없었지만, 아마 내가 알았던 한성과 내가 알아가는 한성은 다른 존재인 듯했다.

 걷던 중 커다란 버드나무 밑에 놓여있는 나무 벤치가 눈에 들어왔다. 우린 길을 따라 걷는 것을 잠시 멈추고 그 벤치로 향했다. 우린 물가를 바라보고 있는 그 벤치에 나란히 앉았다. 그리고 초록빛의 하천 너머로 펼쳐진 푸른 하늘을 올려다보았다. 하늘은 그 어떤 불순물 하나 없이 푸르렀고 맑았다.

 하늘을 보면서 잠시 생각에 잠겨 있던 찰나, 한성이

내 어깨를 두드렸다. 그리고 손가락을 뻗어 하늘을 가
리키면서 말했다.

"저 구름 공룡 닮지 않았어?"

한성이 가리키는 곳에는 삐죽삐죽한 모양의 구름이
혼자 덩그러니 떠 있었다.

"내가 볼 때는 거미 같은데."

"거미? 으."

거미라는 소리에 움츠려드는 한성의 모습에 웃음이
나왔다. 어떨 때는 어른스러우면서도 어떨 때는 무방
비한 모습이 참 귀엽기도 했다.

"거미 무서워해? 바퀴벌레는 잘 잡더만."

한성은 고개를 끄덕이며 내 팔짱을 끼고는 내 몸에
기대었다. 가끔 어린아이 같은 모습을 보이곤 하는 한
성이었다. 그래도 싫지는 않았다. 만나면 만날수록 선
물을 뜯듯이 한성의 다양한 면모를 발견할 수 있었다.
어떤 모습이든 간에, 그 모습들은 모두 내가 한성의
사람이라는 것을 증명하고 있었다.

내 뒤쪽에 자라 있는 부들 하나를 땄다.

"내가 신기한 거 보여줄게."

그리고 그 부들을 세게 뜯었다. 부들 안에 꽁꽁 뭉쳐
있던 하얀 솜들이 순식간에 내 손 위로 터져 나왔다.
내 손과 팔 위에 앉은 부들의 솜들은 흰 고양이의 털
같이 부드러웠다. 한성은 내 팔 위에 올라와있던 솜을

집더니 이리저리 던지면서 놀았다.

얼마 지나지 않아 그 솜들은 하천 쪽에서 불어오는 바람을 따라 모조리 하늘 위로 떠올랐다. 그리고 우리를 한 바퀴 감싼 뒤, 천 주변의 풀들과 나무들에게로 날아갔다.

영화 같았던 부들과의 시간이 끝나자 우린 자리에서 일어났다. 그리고 다시 손을 맞잡고는 천천히 걷기 시작했다. 우리 둘 사이에는 잠시 고요가 흘렀다. 우리 둘 다 오후의 햇살을 받아 빛나는 하천의 풍경과, 맞잡고 있는 상대의 손을 느끼고 있었기 때문에 잠시 대화라는 것을 잊고 있었다. 그러던 중 한성이 고요를 깨며 입을 열었다.

"너 혹시 성빈이랑 친해?"

갑자기 성빈이 이야기가 나오니 조금 의아했다. 하지만 여유로워 보이는 한성의 표정을 보니 별 일은 아닌 것 같았다. 성빈이와는 자주 대화도 나눴고 같이 놀러 가기도 했다. 그러니 친하다고 대답했다.

한성은 내 대답을 듣고는 생각에 잠긴 듯이 턱을 어루만지며 아무 말도 하지 않았다.

"왜 뭔 일 있어?"

내가 걱정스러운 듯이 묻자 한성은 흘러가는 하천을 잠시 바라보고는 별 일 아니라며 미소를 지었다. 그리고 다시 내 손을 잡았다.

하천 너머로 불어오는 바람을 타고 한성의 머리카락이 흩날렸다. 그와 동시에 하천 너머의 한성과 하천 안의 한성이 같은 사람이라는 확신이 흩어지는 듯했다. 무늬 없는 면 티셔츠에다 가볍게 묶은 머리가 흩날리는 그 천연한 모습은 내가 알던 한성과는 조금 달랐다. 한성에게서는 어디서 맡아본 듯한 풀 냄새와 젖은 흙냄새가 나고 있었다.

그 모습은 내가 좋아하던, 그리고 좋아할 수 없던 이곳에서의 모든 모습들을 담고 있었다. 과거의 기억들과 함께 있던 습한 바람이 내 얼굴을 향해 불어왔다. 그 때문에 눈을 질끈 감았다.

눈을 감고 주변의 기운을 느낄 것이 아니라 눈을 떠 내 옆에 있는 상대를 보아야 했다. 과거의 기억들에 얽힐 것이 아니라 정신을 차려 눈앞의 현재를 주시해야했다.

눈을 뜨고 내 옆에 있는 한성을 바라보았다. 내가 좋아하는 한성이 여기 내 옆에 있었다. 나를 좋아해 주고 소중히 대해주는 한성이 있었다. 멋진 옷을 입고 드럼을 잘 치는 한성이 여기 있었다.

난 한성의 손을 꼭 잡았다. 부드러우면서도 손 주변의 굳은살 때문에 딱딱한 한성의 손을 만지니 정신을 차릴 수 있었다. 이곳에서의 한성과 저 밖에서의 한성은 다르지 않았다. 똑같이 나를 사랑하는 한성이었다.

 가끔 이렇게 과거가 떠오를 때가 있었다. 하천 쪽을 바라보고 있으면 가끔 생각에 잠길 때가 있었다. 이미 다 지난 일인데, 이제는 괜찮은데 가끔 그럴 때가 있었다.

 갑자기 한성은 가던 걸음을 멈추더니 하늘을 바라보고는 말했다.

"비 오려나 봐."

 어느새 하늘에는 회색빛의 구름들이 드리워져 있었다.

"그러게. 여름이어서 그런가 봐. 이제 돌아갈까?"

 그리고 우린 돌아가는 발걸음을 옮겼다. 내 옆에서 걷는 한성의 어깨 너머로 여전히 젖은 흙냄새가 나고 있었다.

"오늘 향수 안 뿌렸어?"

"응. 다 써 가지고. 근데 어떻게 알았어?"

 나는 다 아는 수가 있다고 말하고는 킥킥대며 웃었다.

 늦은 오후의 노을을 빛내며 저물어가는 태양은 우리와 주위의 모든 것들을 노란빛으로 비추고 있었다.

 난 끝없이 뻗어 나가는 하천 위에 올라가있는 개천

을 건너는 다리를 바라보았다. 햇빛은 다리 위에서도 빛나고 있었다.

 왜 그런지 모르겠지만 그날의 기억은 아직까지 내 머릿속에 뚜렷이 박혀 있다.

◆

 큰일은 그 누구도 예상하지 못했을 때, 아무도 예상 치 못한 사람에게 일어난다. 거대한 지진이 건물과 사 람들을 모조리 파괴해버리는 것처럼 그 큰일은 나와 내 주위의 사람들에게 거대한 균열을 일으켜 버리고 말았다.
 평소와 같이 등교를 했는데 반 분위기가 뭔가 어수 선했다. 머리를 감싸고 웃으며 충격과 감탄에 빠진 애 들이 반 이곳저곳을 돌아다니고 있었고, 애들은 여러 무리가 섞여 있는 채로 한곳에 모여서 무언가에 대해 이야기를 나누고 있었다. 그 애들은 어떤 신기한 거라 도 본 것처럼 꽤나 흥미로운 표정과 말투를 하고 있 었다.
 내 주위에 엄습해있는 오묘한 기운을 느끼면서 자리 에 가방을 두고 친구들 무리로 향했다.
“뭔 일 있어?”

"이성빈 말이야, 게이래. 저기 애들 무리 보이지? 가서 직접 보고 와봐."

성빈이가 아웃팅 되었다.

심장이 내려앉는 것 같았다. 꽉 쥔 손에는 땀이 고이기 시작했고, 심장은 빠른 속도로 달리기 시작했다. 내 일이 아니었음에도 불구하고 마음이 너무 떨리고 불안해서 가만히 있을 수가 없었다. 난 서둘러 여러 애들이 모여 있는 자리로 뛰어갔다.

애들 가운데에는 어떠한 종이가 있었다. 종이는 색이 바랜 채로 구겨져 있었고, 애들은 억지로 그걸 펴 놓았다. 구겨진 주름이 가득한 종이에는 어떤 글자들이 빼곡하게 채워져 있었다. 난 애들을 헤치고 안으로 들어가 그 종이를 집어 들었다. 이것이 분명 성빈이의 아웃팅과 큰 관련이 있을 거였다.

그 안에 있던 내용이 내 눈에 들어오는 순간, 나의 모든 움직임은 그 자리에서 멈추었다.

'한성이형.....사랑해'

그 종이의 정체는 바로 성빈이가 한성에게 쓴 편지였다.

"이게.. 뭐야? 성빈이가 왜 한성오빠를."

목이 메어서 말이 잘 나오지 않았다. 난 떨리는 손으로 종이를 책상 위에 다시 내려놓았다. 주위의 모든 애들은 다 나를 보고 있었다.

"유은아 괜찮아?"

윤서가 내 어깨를 감싸며 걱정하는 듯한 말투로 물었다. 난 괜찮다고 말하고는 내 자리로 천천히 걸어갔다. 사실 괜찮지 않았다. 이 모든 게 너무 혼란스러웠다.

성빈이가 게이인 것은 알고 있었다. 그건 상관없었다. 게이가 이상한 것도 아니고 성빈이가 내 친구인건 변함없었으니까. 하지만 성빈이가 좋아하던 사람이 내 남자친구 한성이었다는 사실은 전혀 모르고 있었다.

운명이라는 것이 참 야속했다. 언제는 둘도 없는 친구가 되라는 듯이 서로를 서로의 옆에 붙여 놓았으면서 지금은 모든 걸 뒤엎어 버렸다.

좋아하는 상대가 다른 사람을 좋아한다는 사실을 알았을 때의 비참함에 대해서는 아주 잘 알고 있었다. 내가 한성과 사귄다는 사실을 알았을 때 성빈이의 기분이 어땠을지 짐작할 수 있었다. 내가 꼴도 보기 싫게 혐오스러웠을 것이다. 개학 첫날, 성빈이는 내게 유난히 쌀쌀맞았다. 그때는 왜 그랬는지 몰랐지만 이제는 그 이유를 알았다.

기분은 더러운 진흙을 뒤집어쓴 것처럼 찜찜해졌고, 마음은 누가 돌로 막아놓은 것처럼 답답해졌다. 난 고개를 돌려 성빈이의 자리를 바라보았다. 아직 아무것도 모르고 있는 사람의 자리에는 하얀 먼지만이 흩날리고 있었다.

1교시가 시작되어도 성빈이는 오지 않았다. 선생님도 결석의 사유를 모르는 것을 보니 아무래도 무단결석인 것 같았다. 선생님의 입에서 성빈이의 이름이 나오자 애들은 다시 수군거리기 시작했다.

아까 보았던 편지의 내용과 내 머릿속의 성빈이 얼굴이 겹쳐지면서 다시 걱정이 되었다. 오늘은 괜찮을지 몰라도 내일 성빈이가 학교에 오게 되면 자신이 게이라고 아웃팅 되었다는 사실을 분명 알게 될 것이었다. 성빈이가 한성을 좋아한다는 것은 더 이상 내게 중요하지 않았다. 나는 아웃팅이 얼마나 무서운 것인지 알고 있었다. 작년에 내게 있었던 아웃팅의 기억은 아직까지 내 마음 속에 숨 쉬며 살아있었다.

그리고 오늘 이 사건을 발판삼아 그 기억은 다시 내 가슴 위로 올라왔다. 애들이 보고 있던 편지의 주인공이 마치 나인 것만 같았다. 눈앞에 짙은 안개가 낀 것 같았고 어깨 너머가 사무치게 차가웠다. 난 손으로 어깨를 감싸며 책상 위에 엎드렸다. 이렇게 있어야지 이 한기를 그나마 버틸 수 있을 것 같았다.

어쩔 수 없는 시간은 흘러 다음날이 되었다. 난 여느

때와 같이 교실로 들어와 자리에 앉았다. 그때까지는 모든 게 평화로웠다. 아침에 한성과 전화도 했고, 친구들도 모두 내 옆에 있었다. 날씨도 좋았고 반 분위기도 여전히 활기찼다. 1교시가 시작될 때까지는 그랬다.

하지만 성빈이가 교실 문을 열고 들어오자 그 모든 것들은 완전히 뒤집어져 버렸다. 성빈이의 얼굴을 보자마자 난 다시 떠올릴 수밖에 없었다. 어제 무슨 일이 있었는지, 그리고 그날의 기억에 몸서리쳤던 나 자신까지.

성빈이가 들어오자마자 애들은 수군대기 시작했다. 성빈이도 이상한 낌새를 느꼈는지 사뭇 불안해 보이는 표정으로 주위를 살폈다. 성빈이의 표정과 눈이 마주친 순간 나는 앞으로 무슨 일이 벌어질지 진정으로 알아차릴 수 있었다. 그때의 일이 다시 반복되고 있었다.

쉬는 시간이 되었다. 나는 책을 읽는 척 하면서 성빈이를 주시했다. 내가 잘못 예상한 것이라고 바라며, 내가 오바한 거고 애들은 별 생각 없을 거라고 애써 생각했다. 성빈이는 성격이 좋았으니까, 성빈이를 좋아하는 애들은 많았으니까 별일 없을 거라고 생각하며 쿵쾅대는 마음을 진정시켰다.

그때 한 무리의 아이들이 성빈이 쪽으로 다가왔다.

그리고 그 아이들은 성빈이 주위를 빙 둘러쌌다. 그 중 한 명이 성빈이의 앞으로 나오더니 물었다. 너 게 이냐고, 한성이형 좋아하냐고. 그 애들의 시커먼 입에서는 기분 나쁜 웃음들이 나오고 있었다. 성빈이는 태연한 듯이 웃으며 아니라고 부정했다. 하지만 애들은 동요하지 않았다. 그 애들은 확실한 증거를 쥐고 있었다. 곧이어 한성의 이름이 그 시커먼 입에서 튀어나오자 성빈이의 얼굴은 돌을 씹은 듯이 굳어갔다. 성빈이의 입은 더 이상 열리지 않았다. 그 애들은 성빈이에게 더 가까이 다가왔고, 성빈이는 궁지에 몰린 동물처럼 얼어버린 채로 움직이지 못했다.

외치고 싶었다. 저 애들 사이로 뛰어나가 그만하라고 말하고 싶었다. 저 애들을 뒤로 물리며 왜 그러냐고 소리치고 싶었다. 하지만 난 아무것도 할 수 없었다. 그 애들은 내 말이 닿을 수 없는 곳에 있었다. 적이 없는 그 애들은 끝내 성빈이의 마지막이 될 한 마디를 던지고 말았다.

"너 한성이형 좋아해도 되는 거 맞아?"

성빈이의 얼굴에는 더 이상 아무것도 남아있지 않았다. 그 얼굴은 책상 위의 그림자와 합쳐져 아무 형태도 없는 검은색으로 뭉그러졌다. 그 애들은 성빈이를 보면서 계속 낄낄댔다.

성빈아, 별거 아니잖아, 이상한 거 아니잖아. 나쁜 거 아니잖아. 아니면 차라리 아니라고 부인이라도 해줘. 제발 뭐라고 말 좀 해줘.

네가 한성을 좋아하는 건 아무래도 괜찮아, 한성의 애인인 내가 괜찮다고 말하잖아.

너는 강하잖아. 너는 나와는 다르게 밝고 당당하잖아. 그러니까, 제발 무슨 말이라도 해 줘. 너같이 강한 애가 이런 별 거 아닌 일에 무너질 리 없잖아. 나를 위해서라도 제발 그래줘.

마음속에서 계속 외쳤지만. 닿을 리 없는 내 말은 금세 천장 위에서 부스러졌다.

내 자신이 참으로 무능했다. 속으로 아무리 외쳐 봤자 성빈이한테 닿을 리 없다는 걸 알면서도 겉으로는 아무것도 하지 않았다. 겉으로 보이는 나는 성빈이의 일과 관계없는 사람이었고, 저 애들을 제지하기라도 한다면 나까지 이상한 취급을 받았을 테니 침묵하고만 있었다.

그때 쿵 소리가 나며 성빈이의 의자가 바닥으로 떨어졌다. 그와 함께 온 반에는 침묵이 찾아왔다. 나뿐만 아니라 모든 아이들의 시선이 성빈이에게로 향했다. 성빈이는 의자를 박차고 자리에서 일어나 있었다. 그리고 곧바로 교실 밖으로 뛰쳐나갔다. 난 급하게 자리에서 일어났지만 더 이상 발걸음을 옮기지 못하고 다시 자리에 주저앉았다. 내가 지금 할 수 있는 건 아무것도 없었다.

곧이어 혜은이가 내게 다가왔다.

"성빈이 어떡해? 아웃팅 된 거 아니야?"

"그러게 어떡하지."

불안해하는 내 표정을 본 혜은이가 내 어깨를 토닥이면서 말했다.

"괜찮아, 별일 없을 거야."

별일 없을 거라는 건 나나 혜은이가 판단할 수 있는 문제가 아니었다. 세상이, 편협하고도 꽉 막힌 이 세상이 판단해주는 것이었다.

내 앞자리에 앉아있던 친구 하나가 나를 돌아보더니 물었다.

"장유은, 너는 이성빈이 한성이형 좋아했다는 거 알고 있었냐? 너희 둘 많이 친하지 않았어?"

"전혀 몰랐고, 진짜 좋아했어도 난 별로 상관없어."

"그래? 네가 괜찮으면 될 일이긴 한데, 이성빈 게이인 거 좀 충격이긴 한 듯."

그리고 그 애는 다시 앞으로 돌아앉았다. 이미 꼬여버린 이 상황에서 내가 할 수 있는 건 한성을 좋아해도 별로 상관없다는 말 뿐이었다.

점심시간이 끝나는 종이 울리자 성빈이가 반으로 들어왔다. 교실에 없었던 시간동안 성빈이가 어떤 감정을 느꼈을지 곧바로 알 수 있었다. 성빈이는 마치 죽은 동물 같았다. 온 몸은 바닥으로 쳐져 있었고 눈은 죽은 생선같이 텅 비어 있었다. 성빈이는 힘없이 자기 자리로 걸어가더니 책상에 고개를 파묻었다. 그 모습에서는 더 이상 사람의 생기가 느껴지지 않았다. 마치 사람이 아니라 옷더미를 보는 것만 같았다.

서늘한 공기가 팔 언저리를 타고 지나가는 것이 느껴졌다. 난 책상 서랍 안쪽에 손을 집어넣었다. 마땅한 장갑도 주머니도 없어서 이렇게라도 있으면 조금이나마 따뜻해질 것 같았다. 손가락 언저리에서 바스락거리는 무언가가 느껴졌다. 그건 언제 받았는지 모를 사탕이었다. 난 그 사탕을 꼭 쥐고는 다시 성빈이를 바라보았다. 성빈이는 여전히 아무 미동도 없이 엎드려 있었다.

그럼에도 난 성빈이에게 다가갈 수가 없었다. 무언가가 날 꼭 잡고 있었다. 그게 내 두 다리를 잡고 있어서 성빈이한테 걸어갈 수가 없었고, 그게 내 두 팔을 잡고 있어서 성빈이의 손을 잡아줄 수가 없었다. 항상 무언가를 하려 할 때마다 그랬다. 보이지 않는 어두운 족쇄 같은 것이 내가 누군가에게 다가가려 할 때마다 나를 붙잡고 있었다.

하교 시간이 되어도 교실 밖으로 쉽사리 나갈 수가 없었다. 모든 애들은 가방을 챙기며 하교할 준비를 하고 있었지만 성빈이만은 여전히 죽은 듯이 책상에 엎드려 있었다. 숨을 쉬는 것이나 미세한 떨림 같은 것도 전혀 보이지 않아서 정말 죽은 게 아닌가 싶을 정도였다.

앞문으로 나가는 애들은 모두 성빈이를 한 번씩 쳐다보고 갔다. 다들 하교하는데 나만 교실에 남아있는 것도 조금 이상한 것 같아서 하교하는 애들을 따라 교실 밖으로 나갔다. 그렇지만 아예 학교를 나가지는 않았다. 가방을 메고 격자무늬 모양의 복도를 따라 빙빙 돌았다. 이따금씩 하교하는 애들을 슬쩍 보면서 계단으로 내려가기도 했다. 그리고 마지막으로는 화장실에 들어갔다. 당연히 '여자화장실'로 들어갔다. 이렇게 세상에 맞추어 사는 것은 이미 익숙해져 있었다.

화장실 칸 안에 들어가 변기 위에 앉았다. 화장실에 가고 싶었던 건 아니었다. 그저 이곳이 시간 때우기에는 가장 적절한 곳이라고 생각했을 뿐이다. 고요한 화장실 너머로 사람들이 하교하는 소리가 들려왔다. 바깥의 사람들은 무슨 좋은 일이라도 있는 건지 하나같이 밝은 웃음소리들을 내고 있었다.

십오 분 조금 넘게 지났을까, 바깥은 금세 조용해졌

다. 나는 변기에서 일어나 화장실 밖으로 나갔다. 복도나 다른 반에 사람들이 드문드문 남아 있었지만 대부분 하교한 것 같았다. 난 재빨리 반으로 걸어갔다.

반에 도착하자마자 난 교실 문에 기대어 서서 안쪽을 슬쩍 들여다보았다.

반에는 여전히 자리에 엎드려있는 성빈이와 오늘의 청소당번들만이 남아 있었다. 청소당번들은 성빈이를 깨울까 말까 고민하는 듯 보였지만 이내 성빈이를 놔두고 교실을 나갔다.

모두가 반에서 떠나자 그제야 성빈이는 자리에서 일어났다. 난 혹시 들키랴 교실 안으로 내밀고 있던 머리를 급히 밖으로 뺐다. 그리고 뒷문에서 눈만 내밀어 성빈이를 계속 지켜보았다. 성빈이는 구부정한 자세로 가방을 챙기고는 교실 앞문으로 천천히 걸어갔다.

난 숨을 깊게 들이마셨다. 그리고 앞문 앞으로 걸어갔다. 이젠 눈치 볼 사람도 없으니 정말 다가가야 했다.

교실 밖의 나와 교실 안의 성빈이는 앞문을 사이에 두고 서로를 마주쳤다. 성빈이의 머리는 흐트러져 있었고 눈썹은 약간 찌푸려져 있었다.

내 손에는 아까 서랍 안에서 발견했던 사탕이 들려 있었다. 나는 사탕이 든 손을 성빈이에게 내밀었다. 별 거 아닌 거지만 성빈이에게 조금이라도 힘이 되어

주고 싶었다.

성빈이는 아무 말도 하지 않았다. 성빈이의 표정은 아까 전에 보았던 모습 그대로 차갑게 굳어 있었다. 입을 앙다문 채로 그 어떤 말도 하지 않아서 당황했거나 긴장했거나와 같은 감정들을 도저히 읽을 수가 없었다.

난 성빈이에게 괜찮은지 물었다. 나는 네 편인걸 알려주면 성빈이의 굳어있는 표정을 풀 수 있을 거라고 생각했다. 하지만 그 뒤에 돌아온 말은 내가 예상한 것과는 사뭇 달랐다.

"너냐? 나 게이인거 말한 사람."

무슨 말인지 이해가 가지 않았다. 너무 갑작스러운 물음이어서 난 아무 대답도 하지 못했다. 그러자 성빈이는 아까보다 더욱 차가워진 눈으로 날 쏘아보며 다시 물었다. 게이라는 걸 말한 사람이 나냐고, 그리고 자기가 게이인걸 아는 사람은 나밖에 없다고 말했다.

성빈이는 아웃팅의 원인을 나로 생각하고 있었다. 너무나도 갑작스럽고 당황스러운 이 상황에 심장은 칼로 긁는 듯이 아파왔다.

난 아웃팅이 얼마나 힘든 일인지 그 누구보다도 잘 아는 사람이었다. 난 아웃팅의 당사자였고, 성빈이도 그 사실을 알고 있었다. 그런 내가 아웃팅 같은 양심 없는 짓을 할 수가 없다는 걸 성빈이가 모를 리 없었다.

 애초에 나도 자기와 똑같은 퀴어이고, 정체성을 공개
하는 일이 얼마나 두렵고도 어려운 일인지 알고 있었
다. 상대를 진정으로 믿고 의지하는 그 마음, 내가 어
떻게 모를 수 있겠는가.

 내가 아웃팅을 한 게 아니라고 말해야 했다. 네가 한
성에게 쓴 편지 때문에 그렇게 된 거라고 말해야 했
다. 하지만 이상하게도 내 입은 움직이지 않았다.
 내가 입을 닫고 있는 시간이 길어질수록 성빈이의
얼굴은 점점 붉어져갔고 목에는 핏줄이 서 갔다. 그럼
에도 내 입은 지퍼로 잠가놓은 듯이 열리지 않았다.
내가 끝까지 아무 말도 하지 않자 성빈이는 사나운
맹수처럼 날 벽으로 밀어붙였다.
"씨발 너도 아웃팅 당한 기분 알잖아! 알면서 나한테
이래? 니넌은 언제까지고 안전할 것 같아?"
 성빈이는 뜨거운 불길이 되어 나를 집어삼킬 듯이
밀어붙였다. 거기에 압도된 나는 변명조차 하지 못했
다. 그와 함께 형용할 수 없는 죄책감이 다가왔다. 난
그 억울한 감정과 원망이 무엇인지 잘 알고 있었다.
하지만 너무 무능했던 나는 결국 오늘 하루 종일 아
무것도 해주지 못하였다.
 난 연신 미안하다고밖에 말할 수밖에 없었다. 분명

내가 한 일이 아닌데도, 나는 오히려 네 편인데도 아
니라고 말할 수가 없었다.

 눈에서 눈물이 흐르기 시작했다. 성빈이는 내 눈물을
보자 멈칫했다. 그리고 곧 화내는 것을 멈추었다.

 하지만 그렇다고 해서 화가 풀린 것은 아닌 것 같아
보였다. 억지로 내려 보낸 화의 자리에는 검고 울퉁불
퉁한 돌덩이들이 무수하게 남아 있었다. 성빈이는 뒷
걸음질을 치며 귀에 겨우 들릴 정도로 작은 목소리로
말했다.

"한성이형도 네가..."

 그리고 성빈이는 나를 제치고 계단 밑으로 뛰어 내
려갔다.

 이제야 알아차렸다. 내가 왜 아무 말도 하지 못했는
지. 나는 내가 결백하다고 생각했다. 나는 성빈이의
고통에 무관한 사람이라고 생각하고 있었다. 하지만
난 아무것도 모르고 있었다. 나 역시도 성빈이에게 큰
상처를 준 사람이었다.

 내가 한성을 좋아했던 순간부터 성빈이를 괴롭혀오
기 시작했던 것이다. 내가 한성과 웃고 있던 시간만큼
성빈이는 비참한 시간을 맞이하고 있었던 것이다.

 하지만 그렇다고 해서 내게 잘못이 있는 것도 아니
었다. 그저 모든 게 배배 꼬여버린 것이다. 우리를 이렇게 만들어 버린 운명이 참 원망스러웠다.

　그리고 너무나도 무지했던 나 자신도 정말 원망스러
웠다. 난 내가 누군가에게 힘이 되어줄 수 있을 줄 알
았다. 하지만 나는 아무에게도 힘이 되어주지 못하는
무능한 사람이었다.

나의 첫사랑에게

내 비밀이 알려진 이후 꽤나 많은 사람들이 내 곁을 떠났다. 원래 친하다고 생각했던 사람들도 내가 게이인 걸 알고 난 후에는 내게 말 한마디도 걸지 않았고, 그리고 내가 껴있는 자리에서 어쩌다 게이 관련 이야기가 나오기라도 하면 사람들은 내 눈치를 보면서 슬금슬금 자리를 피했다.

우리 학교는 한 학년에 세 반밖에 없는 작은 중학교여서 내 소문은 빠르게 전교로 퍼져나갔다. 어느 날은 복도를 지나가고 있었는데 한 번도 본 적 없는 1학년 애가 갑자기 내 앞으로 오더니 "형 게이에요?"라고 물어본 적도 있었다.

그리고 아무래도 내가 없는 반에서는 가끔씩 동성애

찬반에 대한 토론이 열리는 것 같았다. 원래도 반 사람들 사이에서 그런 주제에 대한 얘기가 가끔 열리곤 했지만, 지금은 접근방식이 조금 다른 듯 했다.

비가 많이 오던 어느 날이었다. 화장실을 갔다 오던 길이었는데, 반 뒤편에 몇몇 사람들이 모여 있는 것이 보였다. 그 애들은 그동안 꽤나 친하게 지냈던 축구부 애들이었다. 난 아무 생각 없이 그 애들이 하는 말에 귀를 기울이며 다가갔다.

"야. 넌 동성애 찬성해?"

난 걸어가다 말고 자리에 멈추어 섰다. 내가 원하는 것과는 상관없이 내 귀는 그 애들의 말에 집중하고 있었다.

"잘 모르겠다. 근데 솔직히 좀 역겹기도 한 듯, 동성끼리 어떻게 그러냐."

"인정. 내 주변 사람이 그러면 존나 싫을 듯."

"잠만, 여기 근처에도 그런 사람이 있잖아? 으."

그리고 그 애들은 내 자리 쪽을 바라보며 조롱이 섞인 비웃음을 내뱉었다.

더 이상 듣고 싶지 않아도 듣는 것을 멈출 수가 없었다. 그 목소리와 웃음의 주인은 바로 혁진이와 지우였다.

얼마 전까지만 해도 같이 축구도 하고 게임도 자주 해서 나름 친하다고 생각했다. 하지만 실상은 그렇지 않았다. 내 정체성 하나만으로도 쉽게 날려 보낼 수 있는 작고 가벼운 관계였던 것이다.

 난 아무것도 들은 적 없는 사람처럼 태연하려 노력했다. 하지만 무언가가 목을 조르는 듯이 가빠지는 숨과 흐려지는 시야는 어찌할 수 없었다. 금방이라도 멎어 버릴 것만 같은 호흡을 애써 유지하려 노력했다. 그리고 아무것도 모른다는 듯이 내 자리로 걸어갔다.

 아까 들었던 내용은 이제부터 다 잊는 것이다. 난 자리에 앉아 책을 폈다. 호주 유학을 위해 산 영어책에는 꾸물거리는 알파벳들이 잔뜩 써져 있었다. 하지만 그 글자들은 눈에 들어오지 않았다. 글자들이 모조리 살아있는 벌레라도 된 것처럼 눈앞에서 꿈틀대고 있었다. 난 책을 덮고 책상에 엎드렸다.

 그 애들의 말에 화가 나거나 슬펐던 것은 아니었다. 오히려 그 반대였다. 내 마음속은 이상하리만큼 잔잔했다. 더 이상 내 정체성에 대해 자유분방한 의견을 들어도, 짙은 혐오를 받아도 아무런 기분이 들지 않았다. 마치 내 마음이 감정의 파동을 만드는 방법을 잊어버린 것만 같았다. 세상 밖으로 드러난 내 비밀은 이미 수많은 사람들의 시선에 묻어 회색빛으로 물들어버린 지 오래였다.

 솔직히 아웃팅이라는 것에 내가 너무 오버한 게 아닌가 싶었다. 모두들 무언가를 견디면서 살고 있는데 나 혼자만 너무 예민하게 움츠러든 게 아닌가 싶었다.

여전히 동성애에 대해 열띤 토론을 하고 있는 혁진이와 지우 사이로 새로운 목소리가 들려왔다.

"야. 게이인 게 뭐가 문제냐, 니 좋아하는 것도 아닌데."

문제가 아니라니, 그 말을 들은 순간 심장 한편이 찌르르 울려왔다. 난 서둘러 그 애들이 있는 쪽을 돌아보았다. 목소리의 정체는 바로 준서였다.

"아니 왜, 거부할 권리도 있잖아."

"야. 그런 말을 성빈이가 들으면 얼마나 힘들지 생각은 해 봤냐?"

"그런 거 옹호해 주고, 너도 게이냐?"

그러자 준서는 어이없는 듯해 보이는 한숨을 쉬고는 말했다.

"여친 있는 사람한테 뭐라는 거냐. 내 친구니까 도와주는 거지."

또 다른 애가 그 자리에 끼어들었다.

"그래, 아까 들었는데 너희 너무 심하게 말하긴 하더라. 누구 좋아하는 건 자기 자유니까 너무 나쁘게 말하지는 마라.

그러자 혁진이와 지우는 잠시 서로 눈빛만을 교환하다가 자리를 떠났다.

날 인정해줄 사람은 아무도 없을 줄 알았다. 하지만

그건 아니었나 보다.

 시간이 조금 지난 뒤, 난 책상에 앉아서 숙제를 하고 있는 준서에게 다가갔다. 그리고 작은 목소리로 말했다.

"야 정준서, 고맙다."

 준서는 의아한 듯이 날 보았다.

"고맙다니? 뭐가?"

"다 들었어. 아까 네가 혁진이랑 지우한테 했던 말."

 그러자 준서는 씩 웃으며 내 어깨를 토닥였다.

"고마우면 간식이나 사."

 나도 따라 웃으며 준서의 어깨를 토닥였다. 그리고 내 자리로 돌아갔다. 저 멀리 앉아있는 준서의 넓은 등에는 어느새 맑아진 하늘의 하얀빛이 반짝이고 있었다.

◆

 오늘은 나와 내 짝꿍이 방과 후에 남아 교실을 청소하는 날이었다. 빨리 끝내고 가기 위해 대충 눈에 보이는 먼지나 쓰레기만을 치웠다. 짝꿍이 걸레를 빨러 간 동안 나는 교실을 마저 쓸었다. 그때, 사물함 구석에 있는 구겨진 종이덩어리가 눈에 들어왔다. 난 그 종이를 집어 들었다. 얼핏 보이는 그 안에는 무언가가 쓰여 있었다. 난 아무 생각 없이 그 종이를 펼쳐 보았다.

그 안에 써져있는 글씨는 물에 적셔져 잔뜩 번져 있었다. 종이 속의 필체는 어딘가 낯이 익었다. 난 눈을 찌푸리고 그 안의 글씨를 더 자세히 보았다.

그 글씨들이 말하고 있는 내용을 알아차리자마자 종이는 내 손을 벗어나 바닥으로 떨어졌다. 잔뜩 구겨지고 누렇게 바래 있던 그 종이의 정체는 내가 예전에 한성이형에게 썼던 편지였다.

난 급하게 내 자리를 돌아보았다. 내 책상 서랍 안쪽에는 멀리서도 볼 수 있을 만큼 많은 종이가 쌓여 있었고, 그 중에 몇 개는 내 자리 주변을 굴러다니고 있었다.

어쩌면 내 아웃팅 사건의 진정한 원인이 유은이가 아닐 수도 있었다. 난 급히 준서에게 전화를 걸었다.

"야 나 게이라고 말한 사람 혹시 유은이는 아니지?"

"갑자기 유은이? 일단 유은이는 아니야, 근데 왜?"

"혹시 뭐 때문에 그렇게 됐는지 알고 있어?"

준서는 잠시 머뭇거렸다. 그러나 곧바로 입을 열었다. 뭐가 부끄럽기라도 한 건지 말끝을 얼버무리고 있었다.

"니 자리 근저에 네가 한성이형한테 쓴 거 같은 뭐가 있더라고.. 난 그거 보고 알았어."

이제 모든 게 설명된다. 난 고맙다고 말한 뒤 전화를 끊었다.

 드디어 내 아웃팅의 진상을 알게 되었다. 언제 썼는지도 모를 한성이형을 위한 편지가 어쩌다 세상에 드러나 버렸고, 사람들이 그걸 읽어 버린 것이다. 내 책상서랍은 시간과 용도를 모를 종이들로 꽉 차 있었다. 그러니 종이 몇 개쯤이 그 안에서 빠져나오는 것도 무리는 아니었다. 그리고 그런 연애편지는 사람들이 가장 좋아하는 유흥거리이니 많은 사람이 읽었을 거고, 소문도 함께 퍼져나갔던 것이다.

 이 일의 원인이 고작 저 편지 하나 때문이라니, 짜증이 났고 또 너무 어이가 없었다.

 난 머리를 손으로 감싸며 옆에 있던 의자에 주저앉았다. 그리고 미친 사람처럼 웃었다.

 저 하찮은 종이 하나가 뭐라고 내 학교생활을 흔들어 놓는지, 참 웃겼다. 언제 썼는지 기억도 잘 나지 않는 저 편지가 얼마나 거창했던 것일까. 난 다시 그 편지를 열었다. 그리고 한 자씩 읽어나갔다.

 종이는 가벼울지 몰라도 그 안에 담긴 마음은 무엇보다 커다랬을지도 모른다. 입 안에서 쌉쌀한 맛이 느껴졌다. 목구멍 너머로 쓰디쓴 침을 삼켰다. 그리고 자리에서 일어났다.

그때 내 머리에 어떤 이름 하나가 스쳐 지나갔다.

'장유은'

준서가 해준 말이 진짜라면 유은이는 아웃팅의 범인이 아닌 것이다. 난 손으로 관자놀이를 감싸며 다시 의자에 주저앉았다.

유은이는 그때 날 진심으로 걱정했던 것이다. 그런데 아무것도 몰랐던 난 진심으로 걱정해주는 사람한테 고마워할망정 욕이나 내뱉었다. 내가 던져버린 사탕과 함부로 뱉었던 모든 말들은 흉측한 모양으로 합쳐졌고, 내 앞에 고개를 내밀었다.

난 고개를 뒤로 젖혀 옆으로 보이는 창밖을 바라보았다. 하늘은 맑았다. 겨울의 하늘임에도 불구하고 여름처럼 푸르렀다.

처음으로 커밍아웃을 했던 날이 생각났다. 처음이어서 불안해하던 나를 유쾌한 말로 진정시켜주던 유은이가 떠올랐다. 처음으로 말한 내 과거사를 열심히 들어 주던 유은이가 떠올랐다. 유은이와 수업시간에 몰래 나누었던 대화들, 같이 애니를 보면서 즐거워했던 날들이 떠올랐다. 그 모든 날들과 함께 있던 작고 순수한 유은이의 미소가 보고 싶었다.

한성이형에게 쓸데없는 미련을 가져봤자 뭐하겠는가. 어차피 우린 안 될 운명이었다. 처음부터 알고 있던 것처럼 형은 날 떠날 운명이었던 거다. 하지만 유은이는 달랐다. 유은이는 내가 한성이형을 좋아한다는 사실을 알고도 날 떠나지 않았다.

 나에겐 누가 더 소중했던 걸까.

◆

 11월 말의 공기는 미세한 얼음조각같이 차가워진다. 그런 기운이 살갗으로 느껴질 때면, 어느새 겨울이 눈앞에 다가와 있었다.

 하루하루가 지날수록 내가 한국에 있을 날은 점점 줄어들었다.

 호주 이민 사실을 알게 된 이후로 난 상당히 바쁜 삶을 살았다. 우선 내 영어실력은 호주 현지에서 살기에는 한참 부족했다. 그렇기에 난 대부분의 시간을 영어공부를 하며 보냈다. 내 가방 안과 밖은 영어책으로 가득했고, 집에서는 아예 영어로 대화했다. 그리고 남는 시간에는 집에 있는 물건들을 버리고 정리했다.

 시간이 지날수록 나에 대한 소문들은 점점 사그라졌다. 완벽한 모습을 지향했던 관계는 무너져 내렸지만, 나 자신이 무너져 내린 건 아니었다.

 멀어져버린 사람들과 마주칠 때면 기분이 씁쓸해지

긴 했지만 시간은 유한하다는 사실이 내게 위로를 주었다. 몇 주만 버티면 이 학교도, 이 관계도 모조리 끝낼 수 있는 거다. 이 세상에 무한한 건 없으니 도망칠 곳은 언제나 존재한다는 거다.

그래도 씁쓸하긴 했다. 인간관계라는 절벽에서 그만 미끄러져 버려서, 완벽한 인간관계라는 미래를 올려다볼 수 없게 되었다. 난 살아나갈 방법을 다시 찾아 나서야 했다.

보슬보슬 내리는 눈은 땅에 닿자마자 녹아내렸다. 눈이 녹은 물 때문에 길은 금세 미끄러워졌다. 넘어지지 않게 한 발 한 발을 조심스럽게 내딛으며 앞으로 향했다. 숨을 들이쉬고 내쉴 때마다 차가운 공기와 따뜻한 공기가 번갈아 내 얼굴 앞을 날아다녔다.

주머니 속에서 전화벨이 울렸다. 전화를 건 사람은 엄마였다. 전화를 받은 뒤, 휴대폰을 귀에 가까이 가져다댔다. 엄마를 향한 나의 용건은 없었다. 나를 향한 엄마의 용건만이 있을 뿐이었다. 하지만 전화기 속의 엄마는 아무 말이 없었다. 주위에서 불어오는 바람 소리만이 내 귀에 들려올 뿐이었다. 몇 초의 정적이 흘렀을까, 엄마는 사뭇 단단해진 목소리로 입을 열었다.

"성빈아 생각해 봤는데, 네가 동성애자라는 거 말이

야."

그리고 전화기 속에는 다시 공백이 찾아왔다. 날쌘 바람이 내 얼굴을 할퀴고 지나갔다. 난 건조하게 갈라지는 목구멍으로 침을 꿀걱 삼켰다.

그리고 엄마는 다시 입을 열었다.

"그게 그렇게 중요한가 싶더라. 네가 좋아하는 사람이고 네 인생이니."

내 입에선 아무 말도 나오지 않았다. 그러자 엄마는 어색하게 웃으면서 말했다.

"나는 그런 거 잘 모르니까, 할 수 있는 말은 여기까지 인 것 같다. 밥 차려놨어 먹으러 와."

"응. 고마워."

그리고 난 전화를 끊었다. 어두워지는 하늘을 향해 깊은 숨을 내뱉었다. 더 이상 입김이 차갑지 않았다. 패딩을 벗고 하늘 위를 올려다보았다. 회색빛의 하늘에서 눈이 먼지처럼 내리고 있었다. 눈송이 하나가 눈가로 떨어졌다. 역시 금세 녹아버린 눈은 축축하게 내 얼굴을 적셨다.

◆

뭉쳐 놓은 눈덩이가 녹아가는 것처럼 한성이형도 내 안에서 점차 지워져갔다. 형을 보지 않는 시간이 길어질수록 기억 속의 형의 얼굴도 점점 흐릿해졌다. 한때 형과 함께 만들었던, 지금은 폐허가 된 성에는 풀들과 이끼가 자라나 있었다. 한때 영원할 줄 알았던 무언가에는 결국 새로운 주인이, 새로운 삶이 자리 잡는 것이었다.

난 청소시간에 주운 편지를 고이 접어 집으로 가져갔다. 집에 도착하고, 내 방에 있는 옷장 문을 열었다. 그리고 옷장 바닥의 옷더미 사이에 숨겨져 있는 편지함을 꺼내들었다. 편지함 위에는 오래된 먼지들이 눌러 붙어 있었다. 손으로 그 먼지를 슥 쓸어냈다. 그러자 회색빛의 먼지가 공기 중으로 날아갔다. 그리고 난 편지함을 열었다.

그 안에는 한때 내가 사랑했던 사람들에게 쓴 편지들이 전부 들어 있었다. 난 빛이 바래서 이젠 다 똑같은 색을 하고 있는 그 편지들 위에 한성이형에게 쓴 편지를 올려놓았다. 이제 그 편지는 더러운 책상 서랍이 아닌 진정 자기가 있어야 할 곳을 찾았다.

거리에는 눈이 많이 내리고 있었다. 주위의 모든 것들은 소리 소문 없이 흰 눈에 파묻히고 있었다. 내가 걸었던 길, 앉았던 벤치, 지나다니면서 봤던 모든 것들은 눈에 덮여가며 형체를 잃고 있었다.

눈이 파인 자리에는 검은 발자국들이 생겨났다. 한결

음씩 걸을 때마다 생기는 그 자국들은 내가 가는 길을 감시하는 눈동자 같았다. 난 아무도 밟지 않은 순수한 눈을 검은 자국으로 더럽히며 계속 나아갔다.

　난 아파트 화단 앞에 웅크려 있는 눈덩이 앞에서 걸음을 멈추었다. 그리고 품속에서 빨간 철 케이스를 꺼내들었다. 그건 마음속에서 흘렸던 피만큼 빨간, 받았던 사랑만큼 차가운 편지함이었다.

　편지함을 잠시 옆에 내려놓고 맨손으로 눈 안에다 구멍을 팠다. 손은 붉은색으로 부풀었고 찢어질 듯이 아파왔다. 눈 사이에 미세한 칼날이 잔뜩 박혀 내 손에 무수한 생채기를 내고 있는 것 같았다. 그만큼 차갑고 쓰라렸지만 난 멈추지 않았다. 바닥에 도달할 정도를 구멍이 깊어지자 파는 것을 멈추었다. 그리고 잠시 뒤로 물러나 편지함을 집어 들었다. 편지함 위에는 눈송이 몇 개가 붙어있었다. 난 눈에 파놓은 구멍 속으로 그 편지함을 집어넣었다. 그리고 마지막으로 아무 일도 없었던 것처럼 구멍을 눈으로 다시 덮었다.

　모든 일을 마무리한 내 손과 발 군데군데에는 하얀 눈 조각들이 묻어 있었다. 떨어지는 눈들과 함께 하얀 입김이 숨결을 따라 흔들렸다.

　난 여전히 시린 손을 주머니 속으로 밀어 넣었다. 그리고 눈 더미를 뒤로 한 채로 발을 옮겼다. 이제 저 편지함은 봄이 되면 눈과 함께 녹을 것이다.

철은 눈에 녹지 않는다는 걸 알고 있었다. 그래도 난 발걸음을 멈추지 않았다. 언젠가 눈이 녹고 저 편지들이 세상에 드러나도 멈추지 않을 것이었다.

◆

한성이형에게 드럼레슨을 받기 위해 산 드럼스틱은 어딘가로 굴러가 찾을 수 없게 되었다. 수단으로 사용했던 것들은 결국 세월의 저편으로 사라져버렸다.

어느새 학기 말 음악제가 열리는 날이 되었다. 복도에는 음악제를 준비하기 위한 학생회와 밴드부 사람들이 바쁘게 뛰어다니고 있었다. 하지만 그들이 바쁜 건 나와 상관없는 일이었다. 어차피 난 학기 말 음악제에 가지 않을 것이었다.
"그래도 이번이 마지막일 텐데 한 번 가봐."
음악제에 가지 않겠다는 내 말을 들은 준서가 말했다. 그리고 음악제 타임테이블에 적혀 있는 '서민들'을 가리켰다. 난 아무 대답 없이 교실 바닥만을 내려다보았다.
사실 좀 두려웠다. 이제 겨우 한성이형을 지웠는데 형을 다시 보게 된다면 예전의 설렘이 되돌아올 것만 같았다.

점심시간이 거의 끝날 때쯤이 되니 하늘에서는 눈이 내리기 시작했다. 음악제는 5교시부터 열려서 대부분의 사람들은 이미 음악제가 열리는 강당에 가 있었다.

그럼에도 난 창문 앞에 앉아서 떨어지는 눈을 바라보기만 할 뿐이었다. 몇몇 애들이 반을 나가면서 같이 가자고 말했지만 난 거절했다.

해가 강당 뒤편으로 넘어가기 시작하자 난 자리에서 일어났다. 나도 내가 왜 자리에서 일어났는지 몰랐다. 그저 내 몸이 시켰을 뿐이었다. 하지만 거기에 별로 저항하고 싶지는 않았다. 그렇기에 난 내 몸이 이끄는 곳을 따라 강당으로 향했다.

큐시트에 나온 대로라면 이제 밴드공연 시간이었다.

추운바람이 옷을 뚫고 들어와서 몸을 웅크렸다. 그리고 그대로 천천히 강당을 향해 걸어갔다. 밴드 공연은 이미 시작해 있는 모양이었다. 사람들의 환호 소리와 악기소리가 강당 밖에까지 들리고 있었다.

강당 문을 열자 빨간색, 파란색, 보라색의 화려한 조명들이 무대를 이리저리 돌아다니고 있는 것이 보였다. 그리고 사람들은 무대 앞쪽에 곤충 떼처럼 몰려있었다.

강당의 문을 닫자마나 한성이형이 있는 3학년 밴드

가 무대 위로 올라왔다.

"안녕하세요, 3학년 밴드 서민들입니다."

그들은 무대 위에 다 같이 일렬로 섰다. 그리고 모두에게 마지막 인사를 건넸다.

"오늘은 아쉽게도 저희 밴드의 마지막 날인데요, 마지막인 만큼 모두 최선을 다해서 즐겨 봅시다!"

앞에서 말을 하고 있는 보컬 뒤로 드럼 안에 앉아있는 한성이형이 보였다. 한성이형의 얼굴과 마주치자마자 난 미친 듯이 무대 앞쪽으로 뛰어갔다. 강당 안을 달리고 사람들을 거세게 헤치며 무대 앞으로 나아갔다. 한성이형의 얼굴을 보는 순간 난 그동안 잡고 있던 이성의 끈을 한순간에 놓아버렸다.

한성이형의 신호와 함께 곡이 시작되었다. 그와 동시에 사람들은 거대한 환호성을 질렀고, 무대 앞쪽에 서 있던 사람들은 하나둘씩 박자에 맞추어 뛰어오르기 시작했다.

하지만 내 눈에 보이는 건 오로지 하나였다. 노래에 맞춰 방방 뛰고 있는 사람들을 뒤로한 채로 난 가만히 서 한성이형을 바라보았다.

모든 기억들이 주마등처럼 스쳐갔다. 비가 오는 날 형과 우산 밑에서 걸었던 순간, 형과 pc방에서 게임을 했던 순간, 같이 디저트카페를 갔던 순간, 형에게 드럼레슨을 받았던 순간까지. 난 그 모든 순간들을 거꾸로 거슬러 올랐다. 그리고 마지막으로 난 형에게 처음 반했던 순간에 돌아와 있었다.

난 형을 잊은 게 아니었다. 땅 위에 눈이 쌓인다고 땅이 없어지는 게 아닌 것처럼, 눈이 쌓인 곳에 형에 대한 마음을 묻어둔다고 해서 형이 잊어지는 게 아니었다. 이미 한 번 만들어진 것들은 어떤 모양으로든 내 곁에 남아있다는 것을 무시하고 있었다. 형은 여전히 내 안에 깊이 박혀 있었다.

나는 형을 바라보았다. 뜨거운 땀방울을 흘리며 드럼을 치는 형은 여전히 그때 그 모습 그대로였다. 난 날 절대 바라볼 리 없는 형을 향해 살며시 미소를 지었다. 1년 전의 이 시간, 이 장소에서 그랬던 것처럼.

이것이 나의 운명이라면, 평생 치러야 할 숙명이라면 잔뜩 만끽하겠다. 오늘 마지막으로 한 번만 더 형을 사랑해야겠다. 한껏 사랑하고 이젠 정말 떠나겠다.

노래는 점점 클라이맥스로 치달았다. 드럼소리는 점점 커져갔다. 관중들은 보컬의 호응에 맞추어 커다란 함성을 질렀다.

목 위에다 형을 향한 마음을 모두 쌓아올렸다. 그동안 내뱉지 못했던 말, 내뱉고 싶었던 말들까지 모두 함께 쌓아올렸다. 이것이 마지막이어도 괜찮았다. 더 이상 형을 보지 못해도 괜찮았다. 이곳에서의 내 마지막 사랑이 형이었으니 다 괜찮았다.

그리고 난 있는 힘껏 함성을 질렀다. 이 목소리가 형에게 닿을 수 있게끔 온 힘을 다해 소리 질렀다. 이것이 형에게 할 수 있는 내 마지막 말이었다.

음악제의 열기가 채 가시지 않은 그날 밤, 형에게 마지막으로 편지를 썼다.

한성이형, 잘 있어
형과 조금 더 오래 같이 있고 싶었어. 호주로 떠나는
전날 밤을 형과 같이 보내고 싶었어. 정 안된다면 같
이 그 카페를 한 번만이라도 더 가고 싶었어. 나의
전부였던 형에게 멋진 이별을 건네고 싶었는데, 내 마
음이 너무 컸나봐. 나 스스로도 그 크기를 견디지 못
했던 것 같아. 그래서 형과의 이별이 더 빨리 와버렸
나 봐.
그래도 그동안 정말 즐거웠어. 형이 해주던 레슨이
랑, 같이 먹었던 디저트들, 좀 많이 달았지만 호주에
서도 가끔 생각날 거 같네.

이제 떠날 시간도 얼마 남지 않았는데,
형, 나는 형을 잊을 수 있을까?
형은 나를 잊겠지, 나는 형의 시간 저편에 있는 사람
이 되겠지. 근데 나는 그럴 수 있을까? 형을 저 너머

에 놔두고 갈 수 있을까?

사실 지금이라도 달려가서 형을 끌어안고 싶어. 아직 형에게 하지 못한 말이 너무 많은데, 이렇게 이별하는 건 정말 싫어. 그러니까 나를 두고 떠나지 말아줘. 나 아직 한국에 있잖아. 조금만 더 함께 있으면 안 되는 거야? 좋아하지 않을 테니까 제발, 형을 시간 저편으로 넘기고 싶지 않아.

검은 글자들 위로 눈물방울이 떨어졌다. 난 눈물을 닦고 편지를 이어서 적었다.

그래도 어쩔 수 없는 일이라는 거 알아. 당연히 해야만 하는 일이고.
이제 형을 놔줄게. 이 편지는 한국에 놔두고 갈 테니까, 부디 언젠가는 찾아서 읽어줘.

마지막으로 한 마디만 하고 그만할게.
그동안 정말 좋아했어. 내가 살아가게 하고 고통 받게 하던 모든 일들이 형이 될 만큼 형을 사랑했어.
한성이형. 잘 있어.

이 편지에 마침표를 찍은 시점부터 형에 대한 마음도 마침표를 찍을 것이다.

◆

평생 올 것 같지 않던 시간은 어느새 내 등 뒤에 서 있었다. 시간이 또 흘러 벌써 졸업식 날이 되었다.

이 학교에서의 시간은 오늘이 마지막이었다. 예전부터 기다려왔던 날이지만 막상 와 보니 기쁜 마음보단 씁쓸한 마음이 더 컸다.

내 자리 옆에는 물건들을 처리할 커다란 가방 하나가 놓여 있었다. 그리고 내 책상 위에는 그동안 학교에서 만들고, 가지고 있던 모든 물건들이 놓여 있었다. 난 그 물건들을 모조리 가방 안에 집어넣었다. 그걸 집으로 가지고 갈 것은 아니었다. 그 안에 남은 찌꺼기, 기억들을 이 가방과 함께 전부 버릴 것이었다.

정리를 마무리한 책상 위에는 단 하나의 물건만이 남아 있었다. 그건 그동안 받은 편지들을 모아 둔 작은 통이었다. 난 그 통을 집어 들어 커다란 가방 위로 가지고 갔다. 이것도 버려야 했다.

그때, 머릿속에 학교에서 만났던 모든 사람들의 얼굴이 떠올랐다. 그리고 그 사람들과 함께했던 모든 일들도 함께 떠올랐다. 모두 무의미한 일들이었다. 모두들 무게 없는 관계들이었고, 내게 도움 되는 것 하나 없는 기억들이었다.

그런데 내 손은 편지통을 놓지 않았다. 이제 이곳에서의 기억은 완전히 버려야 하는데, 원망스럽게도 난 그러지 못하고 있었다. 그 순간, 마음 안쪽에서 커다란 환호성이 울려나왔다. 내가 다른 반과 하는 축구 경기를 캐리했을 때 나오던 환호성이었다. 그리고 또 어디선가 노랫소리가 들려왔다. 그건 내가 여러 친구들과 같이 노래방에서 잔뜩 부르던 노랫소리였다. 그리고 내가 게이인걸 알았음에도 같이 수업을 가자며 날 부르던 목소리와, 혐오하던 애들을 중재시키던 어느 친구들의 얼굴이 떠올랐다.

　이제 깨달았다. 내가 잊고 있었던 시간들이 너무 많았다. 내가 알아차리지 못했던 사람들이 너무 많았다. 내 눈은 강렬한 빛 밖에 보지 못해서 주위에 퍼져 있던 연한 등불들을 보지 못했다. 이곳에서의 시간은 결코 헛된 것이 아니었다.

　나는 편지통을 책가방 속에 고이 넣었다. 이곳에서의 기억 하나쯤은 내 안에 남겨놓고 싶었다. 그리고 책가방을 잠근 뒤 등에 짊어졌다.

　이제 방학식을 하러 강당으로 이동해야 했다. 하지만 나에겐 아직 할 일이 남아있었다.

　사실 어젯밤에 편지 두 편을 썼었다. 하나는 받을 사람이 없었지만, 남은 하나는 달랐다. 그 편지에는 받을 사람의 이름이 적혀있었다.

 이 일은 분명히 마무리 지어야 했다. 이대로 아무것
도 하지 않고서 호주로 떠날 수는 없었다.

 모든 사람들은 졸업식을 위해 강당으로 가 있었다.
그래서 반 안에는 나 혼자뿐이었다. 다행히도 내가 편
지를 줄 사람의 자리에는 아직 가방이 걸려 있었다.
반에 아무도 없을 때를 틈타 그 사람을 부를 생각이
었다.

 그때 교실 문이 열렸다. 난 깜짝 놀라 문이 열린 쪽
을 쳐다보았고 그건 문을 연 사람도 마찬가지였다. 문
앞에는 내가 찾으려고 했던 사람이 서 있었다. 바로
장유은이었다.

 난 그 자리에 얼어붙었다. 너무 갑작스러워서 그런지
머리가 멈춘 것만 같았다. 난 아무것도 하지 못하였고
유은이의 눈만을 가만히 바라보고만 있었다.

 잠시 동안 무엇을 해야 할지 찾지 못하였다. 하지만
이내 다시 떠올리고 주머니에서 급히 편지를 찾았다.
"아, 유은아 뭐 줄게 있는데."

 분명 주머니에 넣어 두었는데 이상하게도 편지가 손
에 잡히지 않았다. 난 엉거주춤한 자세로 주머니랑 옷
주위를 더 열심히 뒤져 보았다. 편지가 없으면 절대
안 되었다.

 그때 유은이가 내 쪽으로 다가왔다. 난 편지를 찾는

것을 멈추고 유은이를 바라보았다. 유은이는 내게 손을 내밀었다.

"이제 호주로 가지? 잘 가, 여기 편지야. 그리고 그때 일 미안했어. 제대로 설명했어야 했는데."

나는 뻣뻣해진 몸으로 유은이의 편지를 집어 들었다. 유은이의 얼굴은 잔뜩 붉어져 있었다. 그리고 약간 부끄러워하는 눈으로 나를 보고 있었다.

정말 다행스럽게도 드디어 편지가 손에 잡혔다. 나는 유은이의 눈을 바라보려고 노력하면서 꼬깃꼬깃하게 접힌 편지를 건넸다.

"그때, 오해해서 미안해. 네가 한 일이 아니었는데 잘못 생각했어. 정말 미안해."

편지를 받은 유은이는 아까보다 환해진 얼굴로 내게 고맙다고 말하였다. 그리고 이내 교실 밖으로 뛰어나갔다.

사실 편지를 쓸까말까 고민했었다. 그래도 쓰길 참 잘했던 것 같다. 이제 드디어 내 마음속의 마지막 짐을 내려놓을 수 있었다.

난 의자에 앉아 유은이가 쓴 편지를 펼쳐 보았다.

─성빈이에게

성빈아, 시간이 참 빠르지? 벌써 우리 반이 끝나는 날이 와 버렸네. 내년에 너랑 더 친하게 지낼 수 있을

거라고 기대했는데, 호주로 떠나게 됐다니 정말 아쉽다.

너랑 같이 더 많은 걸 하고 싶었어. 그런데 시간이, 그리고 우리의 운명이 맞지 않았나봐.

그래도 너랑 함께했던 모든 것들은 정말 즐거웠어. 너와 사소한 장난을 치고, 퀴퍼를 가고, 노란 노을 밑에서 나누었던 대화들은 모두 내게 정말 값진 것들이었어.

그런데 너와 함께하기에는 내가 너무 부족했나봐. 나는 모든 게 두려운 겁쟁이였어. 네가 힘들어할 때 나는 너를 제대로 도와주지 못했어. 사람들의 시선이 무서워서 웅크렸고, 늦게나마 다가갔을 땐 네 옆에 있어주지는 못할망정 일을 키우고 오해를 불러들였지.

나 역시도 그 일이 얼마나 힘들고 아픈지 잘 알고 있었어. 그럼에도 아무것도 해주지 못해서 미안해.

늦은 사과지만 지금이라도 꼭 말해야 할 것 같았어. 그동안 미안했고, 호주에 가서도 잘 살길 바랄게.

-유은이가

오해하고 화를 낸 건 나인데 사과를 하는 건 너였다. 난 물을 머금은 듯이 먹먹해진 가슴 한편을 매만지며 유은이가 나간 교실 문을 바라보았다.

"여기까지 졸업식을 마치겠습니다."

학생회장의 말과 함께 모두가 자리에서 일어났다. 그리고 천천히 각자의 집으로 흩어지기 시작했다. 난 책가방을 짊어지고 강당 밖으로 걸어 나갔다.

강당 문 너머로 우뚝 서 있는 학교의 모습은 2년이라는 짧다면 짧고 길면 긴 시간동안 변함이 없었다.

그렇지만 그 안에서의 기억은 항상 달랐다. 날마다 달마다 달랐고 기쁘기도 했고 슬프기도 했고 신나기도 했고 원망스럽기도 했다. 그럼에도 그 모든 순간들은 전부 고유한 의미들을 가지고 있었다.

난 하늘을 향해 따뜻한 입김을 내뱉었다. 입김이 만든 구름을 통과해 짐을 가지러 학교로 걸어갔다.

"이성빈! 이제 가는 거냐?"

운동장을 빠져나오는 계단에 발을 디딘 순간, 준서가 내 이름을 불렀다. 뒤를 돌아보니 준서와 여러 명의 친구들이 나를 보며 웃고 있었다.

"마지막인데 그냥 가냐? 한국에서 마지막으로 뿅 뽑고 가야지!"

피식 웃음이 나왔다. 난 머리를 한 번 쓸어 넘기고는 친구들에게로 다가갔다.

"그래, 마지막으로 제대로 뿅 한번 뽑고 가야지!"

난 그리고 그 애들의 어깨 위로 뛰어올랐다. 모두 웃

음을 터뜨렸고 나도 따라 웃었다.

친구들 사이에 껴서 정문으로 걸어가던 중 문득 옆을 돌아보았다. 한때 예쁜 꽃이 펴 있던 학교 화단 옆을 걸어가는 유은이가 보였다. 난 잠시 옆에 있던 친구들을 두고 유은이에게로 뛰어갔다.

"야 장유은! 너도 같이 갈래?"

유은이는 나와 눈이 마주치자 살며시 미소를 지었다.

"응, 그래!"

이 세상 어디를 가도 자유롭지 않을 수 있다. 고립되고 아프고 괴로울 수도 있다. 그래도 이제는 괜찮았다. 나는 네 곁에 있고 너는 네 곁에 있으니 더 이상 두려울 건 없었다.

난 하늘을 향해 손을 뻗었다. 손가락 사이로 들어오는 따스한 햇볕과 함께 손목의 무지개 팔찌가 반짝거렸다.

사랑하는 모두들에게

처음부터 아무 만남도, 아무 갈등도 없었던 것이다. 성빈이와 나는 그동안 그 어떤 일도 없었던 것처럼 무심하게 스쳐 지나가는 사이가 되었다.

전에는 정말 가까웠던 사이였지만 이젠 아니었다. 우린 대화는커녕 서로 눈도 마주치지 않았다. 부정의 응어리는 좋았던 모든 일들을 덮어버릴 만큼 커져 있었다.

우리 사이에는 커다란 벽이 있었다. 그 벽은 서로의 목소리조차 통하지 않을 정도로 두껍고 커다랬다. 손으로 바위를 두들기며 아웃팅 한 사람은 내가 아니라고 소리쳐 볼 수도 있었다. 하지만 그 벽은 단순히 우리 둘만의 오해 때문에 생긴 것이 아니었다.

그 벽 사이에는 한성도 끼어 있었다. 내가 한성과 연

애를 시작하였고, 네가 한성을 남몰래 좋아했다는 사실이 세상에 알려져 버렸기 때문에 우리의 관계는 더욱 극으로 치솟아버린 것이다. 사랑은 단어의 모양과는 다르게 너무나도 어렵고 복잡한 것이었다. 고작 나하나가 두드리면 해결되는 문제가 아니었다. 그리고 우리 세 명이 동시에 두드린다고 해도 해결될 문제가 아니었다. 그렇기에 난 포기를 선택했다.

어느새 날씨는 내복을 껴입어야 할 만큼 추워졌다. 그리고 추위와 함께 갑작스러운 소식이 하나 찾아왔다.
"여러분, 슬픈 소식이 하나 있는데요. 성빈이가 올해를 마지막으로 호주로 유학을 가게 되었다고 하네요. 올해가 마지막이니 성빈이와 다들 잘 지내보길 바라요."
무한할 줄 알았던 시간의 유한성을 깨닫게 되었다. 난 나중에 어떻게든 화해하지 않을까 하고 가슴 속에 묻어버린 성빈이를 도로 파내었다. 시간이 많지 않았다.
성빈이는 대부분의 시간을 혼자 앉아 공부를 하며 보내는 것 같았다. 성빈이의 주변에는 아직 많은 친구들이 남아있는 것 같았지만, 주위에서 들려오는 소문은 좋지 않았다. 여전히 세상은 편협했다. 그리고 그런 소문이 들릴 때면 내 가슴마저 돌로 짓누르는 듯이 답답해졌다.

 속으로는 엄청 불편해하고 있으면서도 난 소문을 퍼
뜨리는 애들을 제지하지 못하였다.

 여전히 무언가가 내 팔다리를 잡고 입을 막고 있었
다. 강철로 만들어진 그것은 시간이 지나면 지날수록
내 목과 혀를 강하게 옭아맸다. 하지만 나는 나를 붙
잡고 있는 그 존재들을 부술 힘이 없는 나약한 존재
였다.

◆

 그날 저녁, 한성과 우리 집 앞 놀이터에서 만나기로
했다. 한성이 다니는 학원이 그 근처에 있어서 요즘은
거기서 자주 만나곤 했다.

 약속시간이 되자 난 얼마 전에 산 검고 두꺼운 코트
를 걸치고 집 밖으로 나갔다. 약속시간까지는 아직 10
분 정도 남아 있었기에 천천히 놀이터로 걸어갔다.

 한성은 나보다 먼저 약속장소에 도착해 있었다. 한성
은 편안해 보이는 후드티에다 안경을 끼고 있었고, 하
얀 가로등 불빛 밑에 서서 날 기다리고 있었다.

 나와 눈이 마주치자 한성은 손을 흔들었다. 나는 한
성에게 빠른 걸음으로 걸어갔고 한성도 나를 향해 걸
어왔다. 그리고 우린 서로를 끌어안았다. 한성의 품은

이 겨울의 추위도 잊어질 만큼 따뜻하고 커다랬다.

우린 팔짱을 끼고 놀이터 구석에 있는 벤치로 향했다. 벤치는 그늘 아래에서 차갑고 딱딱하게 얼어 있었다. 추울 법도 했지만 한성이 옆에 있으니 다 괜찮았다.

우린 서로에게 기대어 조용한 밤하늘을 바라보았다. 그러고 있으니 손이 시려졌다. 맞잡고 있는 손을 놓아 주머니 속에 집어넣으려 하니 한성은 잠시만 있으라고 하곤 급히 주머니를 뒤졌다. 그리고 그 안에서 작은 손난로를 꺼내들었다. 그리고 계속 잡고 있자면서 맞잡은 손 안에 집어넣었다. 나는 고맙다고 말하고는 집에서 가져온 귤 하나를 한성에게 내밀었다. 그러자 한성은 환하게 웃으며 자기가 귤 좋아하는 거 어떻게 알았냐며 감탄했다. 나는 살며시 웃으며 토끼처럼 귤을 오물오물 씹고 있는 한성을 바라보았다.

날씨도 나쁘지 않았고 한성도 여느 때와 다름없이 다정했다. 그런데 이상하게도 귤을 먹고 있는 한성의 모습을 보고 있자니 자꾸 성빈이가 떠올랐다. 성빈이도 한성과 같이 귤을 좋아했었다. 자기가 유일하게 좋아하는 과일이라고 내게 말한 적이 있었다. 요즘 들어 한성을 보고 있으면 가끔 성빈이가 생각났다. 정확한 이유는 모르겠으나 아마 저 둘이 생긴 게 좀 닮아서 그랬을 것이다.

난 한성의 손을 잡고 오늘 알게 된 아쉬운 사실에 대해 이야기했다.

"성빈이 내년에 호주로 이민 간대. 알고 있었어?"

성빈이의 이름이 내 입에서 나오자마자 한성은 씹는 것을 멈추었다. 그리고 바닥을 향해 눈을 돌렸다.

"알고 있을 리가."

"그래도 둘이 친했잖아."

한성은 대답 대신 저기 멀리 있는 가로등을 보며 작은 한숨을 내쉬었다. 그 눈에는 색을 알 수 없는 아득한 근심 하나가 들어있었다. 그리고 한성은 머리를 쓸어 넘기면서 입을 열었다.

"너 걔가 나 좋아했다는 거 알았어?"

난 아무 대답도 하지 않았다. 하지만 내가 알고 있다는 사실을 한성도 아는 듯 했다. 내 반응에 개의치 않고 한성은 계속해서 말을 이어갔다.

"솔직히 좀 부담스러워. 날 좋아한다니, 이상하잖아."

난 아무 말 없이 손가락만을 만지작거렸다. 그리고 살며시 한성을 바라보았다. 한숨을 내뱉고 있는 한성의 입 안에는 말로 표현 못할 어떤 응어리가 잠겨 있는 것처럼 보였다.

"날 그런 식으로 생각했다니, 솔직히 게이 같은 성소수자 되는 거 이해 못하겠어."

내 어깨를 감싸고 있던 한성의 팔이 빠진 자리에 시

린 바람이 불어왔다. 그와 동시에 내 몸은 순식간에 식어갔다. 손가락부터 몸통 그리고 눈까지 희뿌옇게 얼어갔다. 내 눈에 보이는 모든 것들에 하얀 서리가 끼어 있었다. 그들은 점점 형체가 없어지고 있었고 모두 하나로 뭉쳐지고 있었다. 난 서둘러 한성을 돌아봤다. 실루엣으로만 보이는 내 앞의 사람은 더 이상 한성이 아니었다.

아무 말도 없는 나에게 한성은 괜찮으냐고 물었다. 그리고는 내 어깨를 다시 팔로 감쌌다. 난 반사적으로 그 손을 뿌리쳤다. 그리고 몸이 안 좋은 것 같다며 자리에서 일어났다. 한성은 여전히 벤치에 앉아있었고, 당황한 듯 보이는 표정을 짓고 있었다. 하지만 이내 푹 쉬라며 날 보내주었다.

난 빠르게 집을 향해 달려갔다. 저 사람은 한성이 아니었다. 코끝에 비릿한 물 냄새가 느껴졌다. 습기 찬 하천의 바람이 불어왔다. 난 옷을 여미고 숨을 참았다. 더 이상 생각하고 느끼다간 정말 버틸 수 없을 것만 같았다.

집에 들어가고 얼마 지나지 않아 한성에게 문자가 왔다.

↳ 괜찮아?

응, 몸이 좀 안 좋은 것 같아서. 미안해 ↵

↳ 아니야, 푹 쉬어

한성은 날 사랑하는 것 같았다. 하지만 그 사랑이 언제까지 이어질지 알 수 없었다. 내가 논바이너리여도 날 사랑하는지 묻는다면 한성은 과연 어떻게 대답할까, 마음속으로 질문을 던졌다. 하지만 거기에 대한 대답은 듣고 싶지 않았다. 자신을 사랑한 남자였던 성빈이를 버렸던 것처럼, 자기 자신을 여자라고 생각 안 하는 유은이도 똑같이 버리는 모습이 자꾸 떠올랐기 때문이다.

난 침대에 누워 이불을 머리끝까지 덮었다. 이불 아래의 그림자에 한성의 웃는 얼굴이 비쳤다. 이불 아래의 한성은 혐오스러워 보이는 표정의 머릿속 한성과는 다른 모습을 하고 있었다.

내가 짜증을 내어도 한성은 기분 나쁜 내색을 보이지 않았다. 그리고 항상 내 기분을 풀어주기 위해 노력했다. 한성은 항상 나를 찾아왔고 항상 내가 좋아하는 것들을 선물해주었다. 한성은 나를 정말 사랑했다.

하지만 난 그렇지 않았다. 한성이 주는 사랑을 받아먹기만 했지 직접 사랑을 내어준 적은 없는 것 같았다. 난 한성의 집 근처에 찾아간 적도 없고 연락도 먼저 잘 하지 않았다. 서운한 것이 있어도 말하지 않고 그냥 오늘같이 자리를 피해버리기 일쑤였다. 그렇다고 해서 한성을 사랑하지 않는 건 전혀 아니었다.

도대체 뭐가 그리 무서웠던 걸까, 뭐 때문에 친구들에게 제대로 다가가지도 못하고, 한성에게 사랑도 못 나누어주고, 불편한 게 있어도 말하지 못하는 걸까. 나를 얽매고 있는 것이 도대체 무엇 이길래.

다음날, 평소와 다름없이 학교를 가고 한성을 만났다.

내 옆에 서 있는 한성을 올려다보았다. 한성의 얼굴은 언제나 보던 대로 아름다웠다. 어제와 다를 것 없는 한성인데 오늘은 왠지 모르게 어색했다.

점심시간이 끝나는 종소리가 울리기도 전에 난 한성의 손을 놓았다. 그리고 할 일이 있어서 먼저 들어가겠다고 말했다. 그러자 한성은 약간 아쉬운 듯해 보이는 표정을 지으며 손을 흔들었다. 난 가던 걸음을 잠시 멈추고 뒤를 돌아보았다. 한성은 여전히 돌아가는 나의 모습을 지켜보고 있었다. 난 그 자리에 서서 한성에게 외쳤다.

"오늘 8시에 우리 집 앞으로 와줄 수 있어? 할 말이 있어."

한성은 고개를 끄덕였다. 하지만 나와 멀리 있어서 한성이 어떤 표정을 짓고 있는지 알 수가 없었다. 웃는 것인지, 무표정한지 아니면 다른지 파악할 수 없었다. 표정을 안다면 그래도 조금은 안심할 수 있을 텐데 말이다.

나는 오늘 한성에게 커밍아웃을 할 것이다. 대영이 그랬던 것처럼 한성이 날 떠날 지어도 말할 것이다.

어제 밤을 지새울 정도로 고민하고 내린 결론이었다.

성정체성을 밝히지 않고 연애를 하는 것이 상대를 속이는 것인지에 대한 고민이 시작이었다. 내 몸이 바뀌는 것도 아니고 상대를 사랑이 변하는 것도 아니었다. 그저 나를 이루고 있는 새로운 파츠 하나를 공개하는 것일 뿐이었다. 하지만 성별은 이 세상에서 중요한 요소 중 하나였다.

나 혼자만 숨기고 살면 모두에게 편한 일이긴 했다. 하지만 연인 사이에는 성별로서 구분되는 상황들이 너무 많았다. 호칭이나 친구 문제 같은 부분도 있었고, 고정된 성역할도 만연했다. 그리고 난 그렇게 구분되는 것이 싫었다.

그리고 이어서 한성에게 커밍아웃을 하는 것에 대한 고민을 시작했다. 성정체성이라는 하나의 조각을 억누르고 사니, 난 다른 상황들에서조차 내 마음을 억누르기 시작했다. 서로가 조금이라도 어긋나는 상황을 피하기 위해 관계에 커다란 파동을 불러오고 싶지 않았다.

하지만 이대로라면 나도, 사랑을 돌려받지 못하는 한

성도 힘들어질 것이었다. 그렇지만 가장 큰 문제는 나였다. 날 억죄는 족쇄는 단순히 압박하는 것을 넘어서 이제는 내 숨통을 조이고 있었다. 난 그 강력한 속박을 하나라도 깨어 내어서 숨을 쉬어야 했다. 그리고 제대로 살아 나가야 했다. 설령 그것이 과거의 실수를 되풀이하는 것이어도 말이다.

8시 정각에 맞춰 집 밖으로 나갔다. 한성은 어제와 똑같이 가로등 아래에서 날 기다리고 있었다. 나와 눈이 마주치자 한성은 재빨리 내게 뛰어왔다. 그리고 날 껴안으면서 이 겨울에도 가로등 밑에 벌레가 있다며 불평했다. 난 아무 말 없이 피식 웃으며 한성의 손을 잡았다. 그리고 놀이터 뒤쪽 벤치를 향해 걸어갔다. 한성은 입에 손을 가져다대고 놀란 표정을 짓더니 밝게 웃으며 내 뒤를 따라갔다.
벤치가 외진 곳에 있기도 하고 근처에 가로등이 없어서 주위는 어두웠다. 그래서 거기 앉으면 마치 세상에 우리 둘 밖에 없는 듯한 느낌을 받을 수 있었다.
난 벤치 끝 쪽에 앉아있는 한성에게 가까이 다가갔다. 그리고 한성의 어깨에다 머리를 기대었다. 그러고 있으니 온 몸으로 쿵쿵대는 한성의 심장박동이 느껴졌다. 난 허벅지 위에 올려져있는 한성의 손을 잡았다. 그 손은 평소보다 더 따뜻했다. 한성은 깜짝 놀란 듯이 움찔댔지만 이내 기분 좋은 신음소리를 내며 내 옆에 더 가까이 붙었다.

나는 한성이 정말 좋았다. 한성과 더 깊은 관계가 되고 싶었고 더 많은 것을 나누고 싶었다. 하지만 그렇게 되기 위해서는 나를 묶고 있던 사슬을 끊어내야만 했다.

나는 한성의 귀에다 대고 물었다.

"오빠는 나 사랑해?"

"당연히 사랑하지."

그리고 한성은 당연하다는 듯이 고개를 끄덕였다.

난 한성에게서 약간 거리를 두며 자세를 고쳐 앉았다. 그리곤 숨을 크게 들이쉬고 다시 내쉬었다. 이제 때가 되었다.

"나 사실 논바이너리라는 성소수자야. 나는 남자도 아니고 여자도 아니야."

그리고 우리 사이에는 텅 빈 정적이 흘렀다. 말을 하기 전에는 심호흡을 해야 될 정도로 긴장되고 떨려왔지만 막상 뱉고 나니 허무했다. 고작 말 몇 마디 하려고 이렇게까지 고민을 했다는 게 조금 어이가 없었다.

하지만 한성에겐 다를 것이었다. 한성이 발견한 건 완전히 새로운 세계의 나였다. 이제 이야기의 주도권은 한성에게 넘어갔고 나는 무슨 말을 하든 받아들여야만 했다.

이제 고개를 들어 한성의 반응을 볼 차례였다. 그런데 난 도저히 고개를 들 수가 없었다. 한성을 볼 자신이 없었다. 이제 일어나야 하는데, 이제 마주해야 하는데 그럴 수가 없었다.

 대영이 자꾸만 떠올랐다. 나를 보던 대영의 사나운 눈들이 날 보고 있는 것만 같았고, 내게 던졌던 짧고 무미건조한 말들이 귀에 들려오는 듯했다. 차갑고 거센 바람이 내 앞으로 불어왔다. 패딩을 입고 있었음에도 온 몸이 사무치게 추웠다. 그런데도 등에서는 긴장 섞인 식은땀이 흐르고 있었다.

 한성의 입은 열리지 않았다. 그 침묵과 함께 난 깨달았다. 나는 또 같은 실수를 반복하고 만 것이다. 이렇게 내 비밀을 말해봤자 망가진 관계 따위는 개선되지 않았다.

 이제 모든 것이 끝났다. 더 이상 한성과 함께할 수 없다.

"그런 게 무슨 상관이야. 내가 사랑하는 장유은은 그대로인데."

 난 고개를 들었다. 한성은 날 바라보고 있었다. 그 눈은 예전과 다를 바 없이 따뜻했고, 나를 향한 사랑이 가득했다. 나와 눈이 마주치자 한성은 미소를 지었다. 내가 항상 좋아했던 미소, 나를 항상 좋아해 주었던 그 미소였다.

 그와 동시에 내 눈에는 눈물이 고이기 시작했다. 이제 걱정하던 일은 다 끝났는데, 이제 안심해도 되는데, 도대체 왜 눈물이 나는지 알 수가 없었다. 나는 벤치 밖에 만연해있는 어둠으로 고개를 돌렸다. 저기서 불어오는 찬바람에 눈물을 말려야 했다.

 내가 고개를 돌리려는 순간, 한성은 내 손을 잡았다. 그리고 날 끌어안았다. 한성은 고개를 돌리지 못할 정도로 날 강하게 끌어안고 있었다. 그래서 나는 힘도 쓸 수 없는 채로 한성에게 가만히 안겨만 있었다. 하지만 이러면 안 되었다. 저 찬 바람에 눈물을 말려야 했는데, 이러면 아무것도 할 수 없었다.

 한성의 손이 내 뒤통수로 올라왔다. 그리고 천천히 내 머리를 토닥이기 시작했다. 금방이라도 터질 것 같은 눈물을 참아내야 했다. 하지만 내 눈물은 내 말을 듣지 않았고, 한성의 토닥임과 함께 봇물 터지듯이 쏟아지기 시작했다.

난 한성의 옷자락을 잡고 흐느끼기 시작했다. 한성은 나를 더 꼭 끌어안았다. 그리고 계속해서 내 뒷머리를 토닥였다. 이렇게 계속 울면 한성의 옷이 다 젖어버릴 텐데도 눈물은 멈추지 않았다. 눈물은 멈출 줄을 몰랐고, 시간이 지날수록 더 많아지기만 했다.

한성이 날 떠날 줄 알았다. 한성같이 찬란한 사람이 아무것도 못하는 무능한 나랑 같이 있어줄 리가 없다고 생각했다. 하지만 한성은 그런 바보 같은 나를 따스하게 안아주고 있었다. 한성은 어린 아이를 달래듯이 나를 토닥이면서 계속해서 말하고 있었다.

"다 괜찮으니까 마음껏 울어도 돼, 마음껏."

끝나지 않을 것만 같던 눈보라도 언젠가 멈추는 법처럼 내 눈물도 어느새 그쳐 있었다. 감정의 폭풍이 그친 나는 가쁜 숨을 내쉬며 이불같이 포근한 한성의 품에 기대어 있었다. 어느덧 주위에서 불어오는 바람은 멈추어 있었다. 고요해진 놀이터에는 검게 변한 낙엽들이 날아다니는 소리만이 들려왔다. 이따금씩 저 멀리에서 질주하는 차 소리가 들리기도 했다.

난 한성에게 나른해진 몸을 기대고 어둡게 빛나는 놀이터를 바라보았다. 우리가 앉아있는 자리를 제외한 모든 곳에 쌓여있는 눈은 이 어두운 세계를 밝히는 조명과도 같았다.

"나 다른 사람에게도 커밍아웃 할 수 있을까? 솔직히 좀 무서워."

그러자 한성은 걱정하지 말라며 내 손을 잡았다. 그

리고 환하게 웃으면서 입을 열었다.

"나한테 한 것처럼 믿을 수 있는 사람부터 천천히 하면 괜찮을 거야. 넌 충분히 용기 있는 사람이니까 잘할 수 있을 거야. 내가 응원할게."

그리고 한성은 씩 웃으며 팔을 걷어 보였다.

"뭐라고 하는 사람이 있으면 다 나한테 말해. 내가 한대 때려 줄게."

그 장난스러운 모습에 웃음이 나왔다. 난 입을 가리고 웃으면서 한성의 손을 잡았다. 그리고 내가 여자가 아니라는 거에 놀라지 않았냐고 물어보았다.

"아직 그런 거에 대해서 잘 모르겠긴 한데, 뭔 상관이겠어."

그리고 한성은 날 향해 빙그레 웃으면서 말했다.

"나한텐 네 성별보다 너랑 함께했던 시간들이 더 중요해. 네가 내 옆에 있다는 사실이 다른 무엇보다 내게 가장 중요한 일이야."

서로의 온기가 있었기에 이 겨울을 버틸 수 있었던 것이다. 나는 한성의 손을 매만지며 입을 열었다.

"한성오빠 사랑해."

한성은 날 바라보았다. 그리고 나는 새빨갛게 변한 한성의 볼에다 입을 맞추었다.

◆

어제는 밤새 눈이 내렸었다. 밤중에 부드러웠던 눈은 차가운 새벽공기와 함께 꽁꽁 얼어버렸다. 학교 가는 길도 얼어 있었다. 나는 스케이트를 타는 것처럼 미끄러지면서 학교로 향했다.

겨울 등굣길에는 은근 즐길 것이 많다. 길 구석에 모여 있는 눈 더미를 밟을 수도 있고, 풀들 위에 쌓인 눈들을 뭉쳐서 나무에 던지고 놀 수도 있었다.

눈들을 만지다 보니 내 손은 어느새 빨갛게 얼어붙은 채로 축축해져 있었다. 난 손에 있는 물기를 털고 패딩 주머니 안에 손을 넣었다. 양 주머니에 들어있는 핫팩이 순식간에 얼어붙은 손을 녹여 주었다.

학교 현관 앞에서 우연히 한성을 마주쳤다. 한성의 얼굴은 겨울바람에 잔뜩 빨개져 있었고, 하얀 입김이 숨을 내쉴 때마다 피어오르고 있었다.

한성은 교복에다 짧은 패딩 하나만을 걸치고 있었다. 얇은 교복바지가 훤히 드러나 있었고, 내복을 입는 것도 아니었다. 이 날씨에 감기라도 걸리게 되면 큰일이다.

난 내 목에 걸려있던 목도리를 풀어 한성에게 둘러 주었다. 그러자 한성은 당황한 듯이 말하였다.

"나 하나도 안 추워. 오늘 많이 추우니까 네가 하고 있어."

그리고 한성은 목도리를 도로 풀어서 내게 건넸다. 그래도 가만히 있을 수 없던 나는 주머니 속에 있는 핫팩을 한성에게 건넨다. 한성은 그마저도 내게 다시 건네려 했지만, 난 주머니 속에 있는 또 다른 핫팩을 보여주고는 씩 웃으며 잽싸게 현관 안으로 들어갔다.

교실 안은 히터를 틀어놔서 그런지 따뜻했다.

교실 안으로 들어오며 앞문 앞에 앉아있는 성빈이를 바라보았다. 방금 교실로 들어온 사람은 아무도 없는 것처럼 성빈이는 내게 그 어떤 눈길도 주지 않았다. 성빈이는 나를 철저히 무시하고 있었다.

난 한껏 무거워진 걸음으로 내 자리를 향해 걸어갔다. 그리고 자리에 앉아 책상 서랍 밑에 있는 문제집을 꺼내었다. 기말고사가 얼마 남지 않은 지금, 난 열심히 공부를 해야 했다.

공부를 하다 말고 다시 성빈이를 바라보았다. 성빈이는 여전히 묵묵하게 자리에 앉아있었다.

나와 성빈이 사이에는 아주 먼 거리가 생겨나 있었다. 한때는 커밍아웃과 함께 서로의 과거를 나눌 정도로 가까웠지만, 지금은 반의 그 누구보다도 멀리 떨어져 있었다.

성빈이를 보고 있으니 정말 뜨거웠던 올해의 여름이 떠올랐다. 그때 성빈이와 같이 갔던 퀴퍼는 가만히 있어도 저절로 땀이 날 정도로 더웠는데 말이다.

퀴퍼 생각을 하니 성빈이에게 커밍아웃을 했던 기억도 떠올랐다. 난 그때도 한껏 겁먹어 있었다.

하지만 그때 내가 커밍아웃을 하지 않았다면, 나는 한성에게 용기를 내지 못했을 거다.

◆

어느새 시간이 흘러 기말고사가 지나갔다. 그리고 한성의 마지막 공연이 있던 학기말 음악제도 지나갔다.

그런 일정들을 모조리 끝내고 나니 어느새 방학이 코앞에 다가와 있었다.

방학까지 겨우 일주일이 남았을 때였다. 난 방과 후에 밴드실을 정리한다는 한성을 따라갔다.

우린 같이 밴드실을 정리하며 방학 때 같이 할 것에 대한 이야기를 나누었다. 이제 내년부터는 한성과 다른 학교에 다니게 된다. 그러니 우린 앞으로 못 보게 될 시간을 때울 만큼 열정적이게 보내자고 약속했다.

한창 바닥을 쓸고 있었는데 밴드실 소파 밑으로 종이 하나가 삐져나와있는 게 보였다. 난 그 종이를 밖으로 빼내었다. 그건 그냥 평범한 악보였다.

그런데 그 구석에 작은 이름 하나가 적혀 있었다.

'이성빈'

그 세 글자는 어떤 돌덩이보다도 내 가슴을 무겁게 짓눌렀다. 난 옆에서 악기들을 정리하고 있는 한성을 바라보았다. 한성도 나와 못지않게 어쩌면 나보다 더 성빈이와 친했던 것으로 알고 있다.

그런데 그렇게 친했던 동생이 사실 자기를 사랑하고 있었다니, 한성의 마음도 참 착잡할 것이었다.

난 성빈이의 악보를 고이 접으면서 한성에게 물었다.

"성빈이 있잖아, 곧 유학 가는데 오빠는 아무 생각도 안 들어?"

한성은 바삐 움직이던 손을 멈추고는 바닥을 향해 작은 한숨을 쉬었다. 그리고 나지막이 성빈이의 이름을 불렀다.

"성빈이."

그리고는 한성은 바닥을 바라보며 살며시 미소를 지었다.

"참 좋은 녀석이었지. 외국 가서도 분명 잘 지낼 거야."

우리 둘 모두 성빈이와 함께한 각자만의 추억이 있을 것이다. 한성이 지금의 성빈이를 어떻게 생각할지는 몰라도, 함께했던 추억들은 분명 한성에게도 의미

있는 일이었을 거다.

◆

 어느새 졸업식 및 방학식이 찾아왔다. 학교는 몇 분
전까지만 해도 활기차고 시끄러웠지만, 지금은 언제
그랬냐는 듯이 고요했다. 그 모습을 보고 있자니 몇
달 뒤에 다시 돌아올 걸 알면서도 공허했다.

 언제나 그랬던 것처럼 바라왔던 것을 놓칠 것인가
아니면 용기를 내어 붙잡을 것인가. 모두 나의 선택에
달려 있다. 정말 많이 다짐했었다. 글을 몇 번이나 지
우고 고쳤고, 거울 앞에서 셀 수 없을 정도로 연습했
다.
 나는 숨을 크게 한 번 내뱉고 성빈이가 있는 반 안
으로 들어갔다. 나와 눈이 마주치자 성빈이는 깜짝 놀
란 듯이 주춤했다. 나는 그런 성빈이를 바라보며 어젯
밤 내내 연습해왔던 미소를 지었다. 그리고 등 뒤에
숨겨놓았던 편지를 내밀었다.
"이제 호주로 가지? 잘 가, 여기 편지야. 그리고 그때
일 미안했어. 제대로 설명했어야 했는데."
 내 편지를 받아든 성빈이는 당황한 듯한 신음소리를
내었다. 그리고는 줄게 있다 말하면서 급히 주머니를

뒤졌다. 성빈이의 주머니에서 나온 건 내가 쓴 것과 비슷한 크기의 또 다른 편지였다.

"그때 오해해서 미안해. 네가 한 일이 아니었는데 잘못 생각했어. 정말 미안해."

그리고 성빈이는 겸연쩍은 미소와 함께 내 손에 편지를 쥐어주었다.

최대한 태연하려 노력했다. 하지만 미친 듯이 뛰는 심장은 도저히 주체할 수가 없었다. 성빈이도 마찬가지인지 눈동자를 이리저리 굴리며 한쪽 다리를 떨고 있었다. 어색했지만 또한 역동적이기도 한 분위기가 나와 너 사이에 맴돌고 있었다.

목 밑에서 무언가가 울컥울컥 올라올 것 같았다. 가만히 있기 어려울 정도로 격렬하게 느껴졌다. 난 짧은 인사를 건네고 교실 밖으로 빠르게 뛰쳐나갔다.

교실 밖으로 나오자마자 그 느낌은 사라졌다.

그리고 난 드디어 안도의 한숨을 내쉴 수 있었다. 복도에 만연한 겨울 공기는 역동적이게 달아오른 내 심장을 식혀주고 있었다.

손가락을 하나하나 움직여 보았고 창밖의 공기를 깊게 들이마셔 보았다. 내 몸은 이전과는 달라져 있었다. 팔을 자유롭게 움직일 수 있었고, 숨도 잘 쉬어졌다. 내 안 깊숙이 박혀있던 무언가는 어느새 사라져

있었다. 그것이 있던 자리에는 초겨울의 시원한 바람
이 드나들고 있었다. 그런 내 마음은 어느 때보다도
후련했다.

 이제 한껏 가벼워진 마음으로 앞으로 걸어 나갈 수
있었다. 난 천천히 강당으로 걸어가며 성빈이가 준 편
지를 읽어 보았다.

 −장유은

 안녕, 그동안 잘 지냈어? 오늘이 마지막 날인데 사과
를 이제 와서야 하네.

 이번 여름방학 정말 재미있었어. 너랑 같이 퀴퍼도
가고, 영화도 보고, 카페에 앉아서 주구장창 애니 얘
기도 하고. 누구 한사람과 이렇게 즐겁게 놀았던 건
손에 꼽을 정도로 드물었던 것 같아.

 너랑 함께 있을 때면 난 정말, 진심으로 행복했어.

 그런데 난 그렇게 소중했던 너에게 알지도 못하면서
화를 내버렸어. 정말 미안해. 이제 와서야 네가 아웃
팅 한 게 아니라는 사실을 알게 됐어.

 내가 진짜 멍청했던 게 뭐냐면, 한성이형한테 쓴 편
지를 실수로 떨어트려서 이렇게 된 거였더라고. 근데
난 너에게 괜한 오해나 씌워버리고 말았어. 정말 미안
해.

사실 전에도 계속 사과하고 싶었어. 근데 이상하게도 말을 꺼내지 못하겠더라. 그냥 내가 네 옆에 없는 편이 더 나을 거라 생각했어. 너의 행복한 연애에 내가 피해만 줄 것 같더라.

그런데 이렇게 사과도 안 하고 그냥 호주로 가기에는 내 마음이 너무 불편했어. 따지고 보면 다 내 잘못인데 말이야. 다시 한 번 더 사과할게, 미안해.

유은아, 네게 하고 싶은 말이 정말 많아. 늦었지만 지금이라도 말하게 해줘.

올해 첫 짝꿍이 너였다는 건 내게 정말 큰 행운이었던 것 같아. 그만큼 너와 함께했던 날들은 내게 정말 뜻 깊었던 시간이었어. 내 한국 인생에서의 큰 즐거움 중 하나는 너였어.

유은아, 내 첫 커밍아웃을 절망으로 만들어주지 않아서 고마웠어. 그리고 이런 모자란 나와 친구가 되어줘서 정말 고마워. 호주에 가서도 절대 잊지 않을게.

　　　　　　　　내 영원한 친구에게, ─이성빈

난 미소를 지었다. 하지만 웃고 있는 입과는 다르게 눈에는 눈물이 고여 왔다. 소매로 눈물을 닦은 뒤 편지를 다시 읽었다.

성빈이가 날 원망하고 있을 줄 알았다. 그렇지만 실제로는 전혀 그렇지 않았다. 성빈이가 내게 의미 있는 사람인 것처럼 나도 성빈이에게 그러한 사람이었다. 난 편지를 가슴에 꼭 끌어안았다.

방학식을 끝내고 밖으로 나오니 눈이 내리고 있었다. 하얀 눈은 조용히 학교를 하얀빛으로 물들이고 있었다.

나는 하늘로 손을 뻗었다. 손 위로 눈 한 송이가 내려왔다. 그 눈은 녹지 않고 내 손 위에 굳세게 남아있었다.

난 정문을 향해 천천히 걸어갔다. 그때, 성빈이가 뒤에서 내 이름을 불렀다. 난 급하게 뒤를 돌았다.

성빈이는 날 보며 밝게 웃고 있었다. 그리고 그 뒤에는 여러 명의 친구들이 서 있었다.

"야 장유은! 너도 같이 갈래?"

난 성빈이를 향해 뛰어갔다. 그리고 모두와 함께 성빈이의 송별회를 위한 걸음을 옮겼다.

내 옆에서 웃고 있는 성빈이를 바라보며 생각했다. 이 순간은 우리의 마지막이 아니라고. 우리의 이야기는 아직 끝나지 않았다고.

작가의 말

안녕하세요, 지라장입니다.

우선 이 책을 끝까지 읽어 주신 독자분들께 정말 감사하다는 말씀 드리고 싶습니다.

무언의 날들은 저의 첫 작품이기도 합니다. 그만큼 미숙한 문장들이 참 많았을 텐데도 끝까지 읽어주신 분들께 무한한 감사를 드립니다.

성소수자는 사회의 무관심 사이에 놓여있으면서도 굉장히 화제가 되는 주제이기도 합니다. 그 중 특히 '젠더퀴어'에 대한 견해들이 엇갈리는 모습이 요즘 자주 보이더라고요.

성별 특히 젠더는 객관적인 것 같아 보이면서도 굉장히 주관적이기도 하거든요. 제가 전문가가 아니라서 논리정연하게 설명드릴 수는 없지만, 여러분들께 새로운 관점 하나 정도는 알려주고 싶었습니다.

작가가 하는 일은 독자들께 새로운 세상을 열어주는 것이라고 생각하는데요, 그렇기에 저는 이 책을 통해 여러분들께 혐오 받는 성소수자들의 삶을 조금이라고 알려드리고 싶었습니다.

다시 한 번 책을 구매해주시고 읽어주신 모든 독자분께 감사하다는 말씀 드립니다. 그리고 이 책을 만드는데 도움 주신 모든 분들께도 감사하다는 말씀 드립니다.

시린 2025년의 시작에,
지라장 드림